As leis de Allie Finkle para meninas

Dia da Mudança

Obras da autora publicadas pela Editora Record:

Avalon High
Avalon High – A coroação: a profecia de Merlin
Cabeça de vento
Sendo Nikki
Como ser popular
Ela foi até o fim
A garota americana
Quase pronta
O garoto da casa ao lado
Garoto encontra garota
Todo garoto tem
Ídolo teen
Pegando fogo!
A rainha da fofoca
A rainha da fofoca em Nova York
A rainha da fofoca: fisgada
Sorte ou azar?
Tamanho 42 não é gorda
Tamanho 44 também não é gorda
Tamanho não importa
Liberte meu coração
Insaciável

Série **O Diário da Princesa**
O diário da princesa
Princesa sob os refletores
Princesa apaixonada
Princesa à espera
Princesa de rosa-shocking
Princesa em treinamento
Princesa na balada
Princesa no limite
Princesa Mia
Princesa para sempre

Lições de princesa
O presente da princesa

Série **A Mediadora**
A terra das sombras
O arcano nove
Reunião
A hora mais sombria
Assombrado
Crepúsculo

Série **As leis de Allie Finkle para meninas**
Dia da mudança
A garota nova
Melhores amigas para sempre?

Série **Desaparecidos**
Quando cai o raio
Codinome Cassandra

Meg Cabot

As leis de Allie Finkle para meninas

Dia da Mudança

Tradução de
MARIA P. DE LIMA

3ª edição

Rio de Janeiro | 2013

CIP-Brasil. Catalogação-na-fonte
Sindicato Nacional dos Editores de Livros, RJ.

C116L Cabot, Meg, 1967-
v.1 As leis de Allie Finkle para meninas, livro um: dia da
3ª ed. mudança / Meg Cabot; tradução Maria P. de Lima. – 3ª ed. – Rio de Janeiro: Galera Record, 2013.
–(As leis de Allie Finkle para meninas; v.1)

Tradução de: Allie Finkle's rules for girls: moving day
Continua com: As leis de Allie Finkle para meninas: a garota nova
ISBN 978-85-01-08097-4

1. Literatura infanto-juvenil americana. I. Lima, Maria P. de (Maria Portela de). II. Título. III. Série.

09-0773 CDD – 028.5
CDU – 087.5

Título original em inglês:
ALLIE FINKLE'S RULES FOR GIRLS: MOVING DAY

Design de capa: Izabel Barreto/Mabuya

Texto revisado segundo o novo Acordo Ortográfico da Língua Portuguesa.

Direitos exclusivos de publicação em língua portuguesa somente para o Brasil adquiridos pela
EDITORA RECORD LTDA.
Rua Argentina 171 – Rio de Janeiro, RJ – 20921-380 – Tel.: 2585-2000
ue se reserva a propriedade literária desta tradução

presso no Brasil

978-85-01-08097-4

S
Leitor preferencial Record.
la e receba informações sobre nossos
e nossas promoções.

Ate
mdi venda direta ao leitor:
l.com.br ou (21) 2585-2002.

Para Madison e Riley Cabot

Muito obrigada a Beth Ader, Jennifer
Brown, Michele Jaffe, Laura Langlie,
Abigail McAden e, especialmente,
a Benjamin Egnatz

LEI nº 1

Não enfie uma espátula na garganta da sua melhor amiga

Eu gosto de leis. E isso porque as leis ajudam a tornar a vida das pessoas mais fácil. Por exemplo, a lei sobre não matar pessoas. Obviamente, é uma lei útil.

Outra lei boa é *Tudo que sobe, desce*. E isso inclui balões com gás hélio. As pessoas não sabem disso, mas você não deve deixar balões com gás hélio soltos por aí, em casamentos, nas Olimpíadas ou algo assim, porque o que acontece é que, em certo momento, todo o gás escapa e o os balões caem, provavelmente no mar, e as tartarugas marinhas os comem.

E daí elas sufocam até a morte.

Então, na verdade, são duas leis: *Tudo que sobe, desce* e *Não solte balões com gás hélio em lugares abertos*.

A ciência tem muitas leis (por exemplo, a lei da gravidade). E a matemática também (tipo, cinco menos três sempre dá dois. Isso é uma regra).

É por isso que eu gosto de ciências e de matemática. Você sabe o que está acontecendo, pois as regras mandam!

O que não me anima muito são todas as outras coisas. Porque não existem leis para as outras coisas.

Por exemplo, não existem regras para a amizade. Tipo, além daquela que diz *Trate seus amigos da maneira como gostaria de ser tratado*, que eu já quebrei mais ou menos um milhão de vezes. Como hoje, quando minha melhor amiga, Mary Kay Shiner, e eu estávamos fazendo o glacê de morango para os bolinhos de aniversário dela.

Pra começar, quem coloca glacê de *morango* em bolinhos? Principalmente quando Mary Kay sabe muito bem que uma das minhas leis é *Nunca coma nada vermelho*.

Se bem que, neste caso, o glacê era meio rosa, então tecnicamente estava tudo bem. Mas ainda assim.

Carol, a babá de Mary Kay — que também é a faxineira da família —, estava nos ajudando, e Mary Kay não parava de reclamar, só porque Carol estava me deixando lamber a espátula.

Como se Mary Kay não tivesse acabado de lamber as pás da batedeira, já que era seu aniversário. Alguém me ouviu reclamar que tudo que me restou foi a porcaria da espátula, quando, na verdade, fiz a maior parte do trabalho, abrindo a caixa e tudo? Não.

Além disso, aos 9 anos de idade, você não deveria ficar reclamando por coisas como não poder lamber uma espátula.

Às vezes eu nem mesmo sei por que sou amiga da Mary Kay. A não ser porque ela é a única menina da minha idade que mora do meu lado da High Street, que eu não tenho permissão para atravessar sem a presença de um adulto desde que aquela criança foi atropelada por um carro quando andava de skate.

O que me lembra. Aqui está outra lei: *Sempre use um capacete quando estiver andando de skate, pois se um carro bater em você, seu cérebro vai rachar e se despedaçar, e crianças como eu vão ficar esperando os carros passarem para poderem atravessar a rua e procurar por pedaços do seu cérebro que a ambulância pode ter esquecido nos arbustos.*

De qualquer forma, enquanto eu estava lambendo a espátula, Mary Kay estava cheia de: "Ela está comendo mais do que eu!" e "Eu quero provar!"

Eu não sei no que estava pensando. Estava só de saco cheio dos choramingos de Mary Kay. Tipo, metade do tempo eu não acho que Mary Kay saiba o quanto é sortuda por ter uma babá que também é faxineira e faz bolinhos para ela levar para o colégio no seu aniversário. Nós não temos uma babá que também seja faxineira, então ninguém na minha família tem tempo de fazer bolinhos, já que meu pai e minha mãe trabalham.

Então, para o meu aniversário, tive de levar bolinhos prontos, comprados na Kroger, e Scott Stamphley disse que ele podia sentir o gosto dos corantes artificiais neles.

Ainda por cima, Mary Kay tem pais que vão comprar o que ela quiser, como um hamster em sua própria casinha, porque ela é filha única, e seus pais Podem Pagar.

Talvez fosse nisso que eu estivesse pensando quando disse "Toma, Mary Kay" e entreguei a espátula para ela. Talvez eu estivesse pensando em como Mary Kay tem seu próprio bichinho de estimação, um hamster (Sparky) com uma casinha, enquanto eu tenho apenas um cachorro — Marvin —, que preciso dividir com toda a minha família.

Talvez fosse nisso que eu estivesse pensando quando Mary Kay colocou a espátula na boca enquanto eu ainda estava segurando o cabo.

Talvez fosse nisso que eu estivesse pensando quando meio que empurrei a espátula um pouco para dentro da sua boca.

Fiz de *brincadeira*. Uma brincadeira de aniversário.

E tudo bem, sei que foi maldade. Mas eu só queria ensinar a ela uma lição sobre não ser gananciosa. Quis fazer uma brincadeira.

Mas eu deveria saber que Mary Kay não encararia dessa forma. Como uma brincadeira, quero dizer.

E eu deveria saber que ela começaria a chorar, desta vez pra valer, porque a espátula desceu pela garganta dela.

Mas foi só um pouquinho! Tipo, a espátula QUASE desceu. Talvez tenha tocado suas amídalas. Mas só isso.

Ainda assim. Este não é um bom exemplo sobre como tratar seus amigos da forma que gostaria de ser tratado. Além disso, foi tudo culpa minha.

Pedi desculpas tipo um milhão de vezes. Mas mesmo assim Mary Kay não parava de chorar. Finalmente, não tive escolha a não ser ir para casa, sentar no carrinho de mão que ficava na garagem e dizer a mim mesma que foi tudo culpa minha: eu havia quebrado a única regra que tinha para a amizade (e que não tinha sido inventada por mim mesma).

Embora uma parte de mim não pudesse evitar ficar pensando que Mary Kay havia quebrado uma regra importante, uma das minhas leis: *Nunca coma nada vermelho — mas, principalmente, não escolha essa cor para o glacê dos seus bolinhos de aniversário se a sua melhor amiga não suporta morango*, ainda que eu tivesse de admitir que o glacê estava muito bom; parecia mais baunilha com corante comestível vermelho do que morango, que eu odeio.

Ainda assim. A regra que eu quebrei era a mais importante de todas — *Trate seus amigos da maneira como gostaria de ser tratado*. Eu certamente não ia querer que alguém empurrasse uma espátula na MINHA garganta — mesmo que só um pouquinho. Eu merecia mesmo não ser mais a melhor amiga de Mary Kay. Principalmente porque era óbvio que eu não sabia o principal sobre as leis da amizade.

Foi quando ficou evidente para mim que eu precisava registrá-las. As leis, quero dizer. Porque existem tantas para lembrar que às vezes até mesmo eu as esqueço. E sou eu quem está inventando as regras.

Então, perto dos enfeites de Natal, encontrei um caderno espiral numa caixa, que a mamãe havia marcado como MATERIAL ESCOLAR. Depois, usando um dos marcadores permanentes que ela tem para escrever nas suas ferramentas para reformar a casa e disse claramente que nós, crianças, não deveríamos usar (a não ser no caso de uma emergência, de modo que eu sabia que ela entenderia), escrevi AS LEIS DE ALLIE FINKLE PARA MENINAS em toda a frente do caderno.

Em seguida escrevi AFASTE-SE SE VOCÊ NÃO É UMA MENINA (escrevi isso porque tenho irmãos mais novos que estão sempre se metendo nas minhas coisas. Eu não preciso que eles saibam das minhas leis. Eles podem inventar suas próprias leis se estiverem interessados).

Estava sentada no carrinho de mão, registrando a lei sobre lembrar-se de usar um capacete quando estiver andando de skate na High Street, quando Carol me surpreendeu entrando na garagem e me pedindo para voltar para a casa de Mary Kay. Ela disse que Mary Kay estava chorando ainda mais porque eu havia ido embora. Também disse que provavelmente eu não tinha causado nenhum dano permanente à campainha ou às amídalas de Mary Kay.

Levantei do carrinho de mão e voltei para a casa da Mary Kay, ainda que não quisesse realmente fazer isso. Eu fui porque é isso que os amigos fazem. Quando cheguei lá, Mary Kay me abraçou e disse que me perdoava e que sabia que eu não tinha tido a intenção de machucá-la.

Fiquei feliz por Mary Kay ter me perdoado, mas secretamente me senti um pouco zangada também. Porque é ÓBVIO que eu não tinha tido a inteção de machucá-la. Eu juro, é um grande fardo ter uma melhor amiga que é tão sensível quanto Mary Kay. Eu sempre tenho de ser supercuidadosa para não falar ou fazer a coisa errada perto dela (como acidentalmente encostar uma espátula na sua campainha), porque Mary Kay é filha única e está acostumada a conseguir as coisas do seu jeito.

E se ela não conseguir do seu jeito, como quando estamos brincando de leões (o jogo favorito dela, NÃO o meu. Meu jogo favorito é detetive. Não que cheguemos a brincar disso) e eu digo que, para variar, ela deveria ser o leão macho porque eu estou com queimaduras nos joelhos de tanto engatinhar por todo o tapete, sendo a responsável pela caça, e também quero descansar ao lado dos filhotes fofos (ainda que na natureza as fêmeas cuidem da caça, não os machos, o que eu sei devido à minha vasta leitura sobre animais), e ela simplesmente começa a chorar.

Ou se eu consigo lamber a espátula, e é isso que ela quer.

Mesmo assim, mostrei a ela o meu caderno — aquele no qual eu estava escrevendo as minhas leis. Pensei que, talvez, se visse as leis, ela realmente pudesse tentar segui-las para variar — principalmente a *Trate seus amigos da maneira como gostaria de ser tratado.*

Mas primeiro a fiz jurar que não contaria nada para ninguém sobre aquilo. Expliquei a ela que eu ia esconder o caderno num lugar especial, debaixo de uma tábua sob a minha cama, para que meus irmãos não o encontrassem. Eu pensei que isso realmente faria com que ela ficasse interessada em lê-lo.

Mas não. Mary Kay só bocejou e perguntou se eu queria brincar de leões.

O que foi uma pena, porque se alguém poderia aprender alguma coisa sobre as leis da amizade, esse alguém era Mary Kay.

Estou começando a pensar que preciso arrumar uma nova melhor amiga. Uma melhor amiga diferente e que não seja chorona. Só para variar.

É meio engraçado que eu estivesse pensando nisso, porque, quando voltei da casa de Mary Kay naquela noite, Mamãe e Papai nos disseram que íamos nos mudar.

LEI nº 2

Não arrume um bichinho que faça cocô na sua mão

Não foi a maior das surpresas Mamãe e Papai dizerem que estávamos nos mudando. Mamãe já queria uma casa nova para testar suas habilidades em decoração e reforma havia um tempo. Ela não gosta mais da nossa casa porque não precisa de nenhuma outra melhoria. É contemporânea, tem dois andares e fica em Walnut Knolls, que é um condomínio só de casas.

Mamãe quer uma casa vitoriana na cidade, antiga e caindo aos pedaços, para ela poder restaurá-la à sua glória original. Ela e Papai só compraram uma casa já pronta em um condomínio porque foi o único tipo de casa que eles puderam comprar logo depois de Papai conseguir o emprego como professor.

Meu pai dá aulas na faculdade. O que ele ensina é computação.

Papai vem ensinando computação já faz um tempo agora e recentemente conseguiu uma cadeira da matéria. Quando você é professor, conseguir uma cadeira não significa que finalmente vai poder se sentar para trabalhar. Significa que você ganha mais dinheiro. Além disso, meu irmão mais novo, Kevin, começou o jardim-de-infância, então Mamãe voltou a trabalhar como conselheira. Ela aconselha os universitários sobre as aulas que devem fazer (como aulas de computação).

Então agora temos mais dinheiro por causa disso também.

Como Mamãe e Papai estarão na faculdade o dia todo, eles querem se mudar para mais perto — e também para uma casa velha, com a qual mamãe possa se divertir fazendo melhorias durante seu tempo livre, longe do aconselhamento.

Só que eu não vejo o que há de tão divertido em ficar consertando uma casa velha. Não vejo o que há de errado em ficar na casa que temos agora, que não precisa de melhorias e tem um carpete cor de creme cobrindo todo o chão, exceto o meu quarto, onde o tapete é cor-de-rosa.

— Mas, Allie — disse Mamãe, tentando explicar. — A casa nova é muito mais espaçosa do que esta. Mark e Kevin poderão ter os seus próprios quartos e então não vão brigar tanto. Isso não vai ser bom?

Eu sei que deveria amar meus irmãos — e amo. Tipo, eu não gostaria que nenhum dos dois fosse atropelado por um carro e tivesse pedaços do cérebro espalhados por toda a High Street.

Mas não ligo exatamente se eles têm seus próprios quartos ou não

— Mas e a minha cama com dossel? — perguntei. Porque acabei de ganhar uma cama com dossel pelo *meu* nono aniversario (sou um mês mais velha que Mary Kay. Provavelmente é por isso que não choro tanto quanto ela; porque sou mais madura. E também porque, não sendo filha única, estou mais acostumada com injustiças).

— Vamos levar sua cama com dossel para a casa nova — explicou Papai. — No caminhão da mudança.

Meu irmão, Mark, ficou muito animado ao ouvir sobre o caminhão da mudança. Mark está no segundo ano e só pensa em caminhões. E em insetos também.

— Eu posso andar no caminhão da mudança? — quis saber ele. — Na parte de trás, com os móveis?

— Não · – disse Papai. — Porque isso é contra a lei.

— A casa nova é muito mais próxima de onde eu e Papai trabalhamos — continuou Mamãe. — Então poderemos passar mais tempo com vocês, crianças, porque não vamos precisar dirigir tanto tempo para chegar ao trabalho.

— E a minha coleção de pedras? — perguntei. — Tenho mais de duzentas delas agora, você sabe.

Sei que pedras podem parecer algo muito chato para se colecionar, mas selecionei minhas pedras com muito cuidado e as guardei em sacolas de papel de supermercado no chão do meu closet. Cada uma das minhas pedras é extraordinária à sua maneira. Grande parte delas é geode, que, se você não sabe, são pedras com um aspecto muito comum — por *fora*.

Por dentro, entretanto, elas têm cristais que brilham como diamantes. Na verdade, se não conhecer bem, você pode realmente confundir uma geode com um diamante.

Na verdade, apenas olhando você não pode dizer se uma pedra é uma geode ou uma pedra comum. Bem, quero dizer, você pode, mas isso exige prática.

Além disso, as geodes não são fáceis de abrir para chegar aos cristais do seu interior. Para quebrá-las, você tem que jogá-las com muita força na calçada ou na rua (o que não recomendo, porque elas deixam marcas no chão que às vezes não desaparecem por um ano ou mais, como descobri da pior forma) ou acertá-las com um objeto de metal, como um martelo, também usando muita força. Por experiência, aprendi que os tacos de golfe do seu pai não são muito bons para isso.

Encontrei a maior parte das minhas geodes enquanto estava escavando os diversos terrenos em construção que existem em Walnut Knoll e ao seu redor. Apesar de Mamãe e Papai dizerem que não devemos ficar passeando pelos terrenos, a verdade é que se pode encontrar muitas coisas incríveis nas pilhas de restos deixados pelas escavadeiras.

— Dez sacos grandes cheios de pedras — disse Mamãe — é simplesmente demais, Allie. Principalmente levando-se em conta que você nunca nem ao menos limpou suas pedras e nem cuida muito bem delas.

— Não são pedras — informei. — São geodes.

— O que quer que sejam — disse Mamãe —, elas apenas ficam naqueles sacos, bagunçando o chão do seu closet. Você pode escolher três ou quatro pedras especiais para levar. Mas vai ter de devolver o resto para a terra, onde as encontrou.

Não pude evitar um suspiro realmente decepcionado neste momento. Porque, sinceramente, eu dediquei muito tempo e trabalho à minha coleção de pedras. Certo, talvez eu não tenha limpado minhas pedras. Mas as amo da mesma forma.

Mas então um pensamento ainda pior me ocorreu.

— E a escola? — perguntei. — Se a casa nova é perto do seu trabalho, isso significa que deve ser realmente muito longe da escola. Como vamos conseguir andar essa distância toda e ainda chegar à escola na hora?

— Bem — disse Mamãe —, vocês vão para uma nova escola porque vamos morar em um distrito escolar diferente. Mas a Pine Heights Elementary é logo virando a esquina da casa nova. Na verdade, você poderá almoçar em casa, se quiser! Isso não vai ser divertido?

Mas não achei que aquilo parecesse divertido de forma alguma. Parecia terrível, na verdade.

— Eu não quero ir para uma escola nova! — reclamei. E dessa vez reclamei de verdade, porque, bem, estava chorando. Posso chorar com menos frequência que Mary Kay Mas também choro algumas vezes. — E a Srta. Myers?

A Srta. Myers é minha professora. Ela é a melhor professora que eu já tive. Tem um cabelo tão comprido que consegue até sentar nele.

— Tenho certeza de que você vai adorar sua nova professora também — disse Mamãe. — Nós vamos até lá encontrar todos os professores antes que você comece na nova escola, então você terá uma chance de conhecê-los. O que acha?

— Parece bom para mim — disse Mark, mastigando. Ele estava comendo nuggets de peixe com ketchup, apesar do meu conselho para que ele não comesse nada vermelho.

Estava claro que Mark não se importava em se mudar — só se preocupava se ia ou não poder ficar na caçamba do caminhão com os móveis. Ele não se importava em ter de começar a frequentar uma escola totalmente nova e fazer novos amigos.

— Cale a boca — disse eu para Mark.

— Não diga para seu irmão calar a boca — disse Papai. Quando Papai diz para você não fazer alguma coisa, você não faz. Essa também é uma lei — e uma lei que Mark e Kevin realmente seguem.

Mas mesmo assim.

— E Mary Kay? — De repente, lembrei da minha melhor amiga. Só não me lembrei da parte sobre como acabara de desejar uma melhor amiga diferente, que não fosse chorona. — Se nos mudarmos, não estarei mais na mesma sala que ela! Não vou mais morar na mesma rua que ela!

— Você ainda pode visitá-la — disse, esperançoso, meu irmão mais novo, Kevin. — Você pode pegar o ônibus.

— Eu não quero pegar o ônibus! — gritei.

— Pare de gritar — disse Papai. — Ninguém vai pegar ônibus nenhum. Allie, você ainda poderá ver sua amiga. Só que não na escola. Vocês podem ter encontros ou sei-lá-como-se-chamam.

— Encontros para brincar — disse Mamãe. — Seu pai quer dizer que vamos organizar encontros para você brincar com Mary Kay.

Encontros para brincar? Tanto faz! Eu não quero organizar "encontros" para brincar com Mary Kay. Nós duas nunca tivemos de organizar "encontros" antes. Quando eu e Mary Kay queremos brincar, eu simplesmente desço a rua e brincamos juntas. Não é preciso *organizar* nada.

— Eu não quero me mudar! — gritei. — Não quero me desfazer da minha coleção de pedras, nem ir para uma escola nova, nem organizar "encontros" para brincar com Mary Kay! Quero ficar aqui mesmo!

— Allie — disse Mamãe. — Seu pai e eu estávamos pensando... Se você conseguir se mostrar adulta nesta mudança, sem reclamar, podemos decidir que você está grande o bastante para ter um bichinho de estimação só seu. Apenas tente.

Fiquei tão perplexa que parei de chorar. Sempre quis ter um bichinho de estimação. Nós temos Marvin, é claro, e eu o amo muito. Por exemplo, sou a única pessoa na minha família que o escova, procura pulgas e passeia com ele (bem, Papai também passeia com ele, mas só à noite). Quero ser veterinária quando crescer, então também estou praticando para quando isso acontecer.

Mas sempre quis um bichinho de estimação, um que eu não tivesse de dividir com mais ninguém, como os meus irmãos.

— Está dizendo — falei, fungando — que posso ter um hamster, como Mary Kay?

— Nada de hamsters — disse meu pai. Papai não gosta de hamsters nem de camundongos. Quando eu e Mary Kay pegamos um camundongo bebê num terreno atrás da casa dela (onde agora estão construindo um novo condomínio), colocamos na minha bolsa da Polly Pocket Limusine Pollywood e depois mostramos ao meu pai, ele nos fez soltá-lo na mata atrás da nossa casa (onde também estão construindo um condomínio), apesar de termos explicado a ele que o camundongo provavelmente morreria se não tivesse a nós ou à sua mãe para tomar conta dele.

Papai não ligou. Ele diz que não gosta de animais que não sabem fazer nada além de cocô na sua mão.

Então, quando anotei isso, esta virou a lei: *Não arrume um bichinho que faz cocô na sua mão.*

— Na verdade — disse Mamãe —, estávamos pensando que talvez você esteja grande o bastante para tomar conta do seu próprio gatinho.

Eu achei que não havia escutado direito. Ela tinha dito... GATINHO?

— Não é justo! — gritou Mark. — Eu quero um gatinho!

— Eu também! — gritou Kevin.

Ela tinha dito. Ela *tinha dito* gatinho! Como eles sabiam? Como sabiam que eu quis um gatinho praticamente por toda a minha vida?

E a verdade é que tinha pedido um poodle toy no meu aniversário e ganhei uma cama com dossel em vez disso, o que não é tão legal.

Mas nunca pensei em pedir um gatinho.

Até eles dizerem que eu poderia ter um.

E então eu soube que queria ter um gatinho mais do que jamais quisera qualquer outra coisa em toda a minha vida. Gatinhos são *bem* melhores que hamsters, que, a propósito, fazem cocô na sua mão.

— Quando vocês demonstrarem que estão crescidos o suficiente para arcar com a responsabilidade de ter um bichinho de estimação — disse Papai para os meus irmãos —, nós conversaremos. Mas eu não vi nenhum dos dois escovando Marvin ou o levando para passear, como Allie faz.

— Eu levo Marvin para passear — disse Mark.

— Colocar a coleira no Marvin e tentar fazer com que ele puxe você pelos montes de terra da nova construção não conta como passear com ele — observou Mamãe para Mark. — Então, quem quer ir ao Dairy Queen para comer uma sobremesa?

Todos queríamos ir ao Dairy Queen, é claro.

Da nossa casa até o Dairy Queen, você precisa ir de carro. E, enquanto estávamos no carro, a caminho do Dairy Queen, Mamãe disse:

— Sabe, a casa nova é tão perto do Dairy Queen que podemos *andar* até lá depois do jantar.

— Para comer a sobremesa? — perguntou Mark. Essa é mais uma coisa sobre a qual Mark pensa o tempo todo. Insetos, caminhões e sobremesa.

Esportes, também. Como futebol americano. Ou qualquer coisa com uma bola, para falar a verdade.

— Isso mesmo — disse Mamãe. — Depois do jantar. Podemos simplesmente levantar e caminhar até o Dairy Queen.

Mark, Kevin e eu olhamos um para o outro, maravilhados. Caminhar até o Dairy Queen? Todas as noites?

Era quase bom demais para ser verdade. Um gatinho *e* o Dairy Queen? *Todas* as noites?

— Se comerem tudo no jantar — completou Papai.

— De repente — disse Mamãe com calma —, nós podemos passar por lá de carro esta noite e dar uma olhada. Voltando do Dairy Queen.

— Não sei — disse Papai. — Não acho que as crianças estejam realmente interessadas em ver a casa nova.

— *Eu* estou — disse Mark, se inclinando para a frente em seu lugar. — *Eu* quero ver a casa nova.

— Eu quero ver a casa nova também — disse Kevin.

— E você, Allie? — perguntou Mamãe. — Também quer ver a casa nova?

Eu tinha de pensar sobre isso. Por um lado, estava interessada em um novo gatinho. Estava interessada no Dairy Queen todas as noites e em conseguir uma nova melhor amiga.

Por outro lado, não estava interessada em ir para uma escola nova nem em me desfazer da minha coleção de pedras.

Mas se a casa nova era realmente *tão* perto do Dairy Queen...

— Bem... — falei. — Acho que não tem problema dar uma *olhada*...

Os funcionários do Dairy Queen pareciam incapazes de fazer as nossas casquinhas de sorvete rápido o suficiente. Parecia levar uma *eternidade*. E só pedimos o de sempre

— chocolate e creme com calda de chocolate para mim, creme com calda de cereja para Mark e creme com calda de caramelo para Kevin; um sorvete diet para Papai e um picolé Dilly Bar sem açúcar para Mamãe.

Mas pareceu levar *duas horas* até eles prepararem o nosso pedido, Papai pagar, Mamãe pegar um número suficiente de guardanapos para o caso de alguém derramar algo no carro (eu digo *alguém*, mas sempre é Mark que derrama, normalmente na frente da camisa toda) e para todos voltarem para dentro do carro, colocarem seus cintos de segurança sem derrubar nada e Papai perguntar: "Estão todos prontos? Alguém quer passar pela casa nova?", e todos nós respondermos: "SIM!", e ele dizer: "Certo! Aqui vamos nós", e partirmos.

E então estávamos virando a esquina — logo ali na esquina! Realmente era onde a casa nova ficava, logo na esquina depois do Dairy Queen — e Mamãe estava dizendo, num tom de voz animado:

— Ali está, crianças, ali está, logo ali, à esquerda, estão vendo? Estão vendo?

E todos olhamos para o novo lugar onde íamos morar.

E não sei sobre os outros, mas pelo menos eu quase vomitei o que já havia tomado do meu sorvete.

Porque a casa nova *não* era muito bonita.

Na verdade, parecia o oposto de bonita. Parecia muito grande e assustadora, parada naquela rua. Todas as janelas — e eram muitas — eram escuras e pareciam olhos nos encarando. Havia muitas árvores grandes ao redor da casa também, com galhos retorcidos que balançavam com o vento.

Não existem árvores grandes em Walnut Knolls. E isso porque há apenas nove anos, quando nasci, Walnut Knolls era uma área rural. Nenhuma das árvores que os pioneiros plantaram chegou a ter a chance de crescer muito ainda.

— Mãe — falei.

— Não é *ótima*? — perguntou Mamãe, animada. — Vejam o bom estado dos adornos ao redor da varanda da frente! E não é excitante o fato de ao menos *termos* uma varanda da frente, onde podemos ficar sentados e aproveitar a brisa do verão?

— E tomar sorvete — disse Mark. — Certo? Podemos sentar lá e tomar o nosso sorvete. — Porque Mark só pensa em sorvete. Além de insetos e caminhões e esportes.

— Claro que podemos — disse Mamãe. — E você está vendo aquela janela na frente do terceiro andar? Aquele será o seu quarto, Allie.

Meu quarto parecia o mais sombrio e assustador de todos.

— Aquelas árvores são realmente grandes — disse Kevin.

— Aquelas árvores — disse Mamãe — têm mais de uma centena de anos. Assim como a casa.

Eu, olhando pela janela do carro, podia acreditar totalmente nisso. Nossa nova casa parecia ter *muito* mais de cem anos. Parecia tão velha que praticamente estava se desfazendo. Parecia com todas aquelas casas dos programas de TV que mamãe gostava de assistir, programas que tinham nomes como *Por favor, conserte minha casa* e *Minha casa é muito velha. Alguém pode consertá-la, por favor?*

Só que aquilo não era um programa de TV. Era a realidade. E nenhum time de carpinteiros legais e belos decoradores ia aparecer para consertá-la. Minha mãe ia ter de consertar nossa casa sozinha — com a ajuda de Papai, imagino.

Não quero parecer uma estraga-prazeres, mas a verdade é que eu realmente não acreditava que ela fosse capaz de fazer isso.

Porque a casa que estava na nossa frente parecia impossível de consertar.

A casa que estava na nossa frente parecia outra coisa também. Eu não queria mencionar isso na frente do Mark e do Kevin, porque uma das leis — que eu ia anotar assim que chegasse em casa — é *Não assuste seus irmãos mais novos* (a não ser que eles tenham feito algo para merecer isso, é claro).

Mas a verdade era que, para mim, a casa parecia assombrada.

De uma hora para outra, eu não queria mais o meu sorvete.

E também estava muito certa de que não queria mais me mudar, ainda que *isso* significasse Dairy Queen todas as noites, uma possível nova amiga não chorona e um gato.

Aliás, queria tudo de volta como era, antes de Mamãe e Papai dizerem que eu podia ter um gatinho, antes de dizerem que estávamos nos mudando, e antes de eu ter acertado acidentalmente a campainha da minha amiga com uma espátula.

Só que esta vem a ser uma das regras mais difíceis de aprender: *Não se pode voltar atrás.*

Mas, mesmo que não consiga voltar atrás, você *pode* evitar que as coisas mudem ainda mais. Se você se esforçar o bastante.

E então eu soube que era isso que eu precisava fazer.

Só não sabia como. Ainda.

LEI nº3

Se não quer que todos saibam seu segredo, não o conte a Scott Stamphley

Mary Kay chorou quando contei a ela que parecia que íamos nos mudar. O que imagino que não foi nenhuma surpresa, já que Mary Kay chora por tudo.

Mas essa foi uma das poucas vezes em que eu senti vontade de chorar junto com ela.

— Você não pode se mudar *agora* — disse Mary Kay. — É o meio do ano escolar. É contra as regras.

Tem um monte de coisas sobre as quais não sei — como amizade e consertar casas antigas e mal-assombradas, por exemplo.

Mas se tem algo que sei, é sobre regras.

— Tenho certeza de que isso não é verdade — disse eu. — Porque, se fosse, meu pai e minha mãe não nos fariam fazer isso.

— Bem — disse Mary Kay —, peça para que eles verifiquem. Porque essa nova escola pode nem mesmo deixar você começar a frequentar as aulas assim, no meio do ano.

Essa é uma coisa sobre Mary Kay. Ela meio que acha que sabe tudo.

— Bem — falei —, Mamãe disse que, se mudarmos, *temos* de ir para essa nova escola porque estaremos morando em outro distrito escolar. Então acho que eu não tenho muita escolha.

— Você fala como se quisesse se mudar — disse Mary Kay, num tom acusador.

— É claro que não quero me mudar — falei. Eu nem mesmo havia contado a ela a parte sobre a casa possivelmente ser assombrada. Mas contei a parte sobre o gatinho.

Isso só fez com que ela chorasse ainda mais. O que não fazia sentido algum. Quero dizer, achei que ela ficaria um *pouco* feliz por mim, por causa do gatinho.

Só que ela não ficou.

— Você sabe que se ganhar um gatinho, eu não vou mais poder visitar você — falou ela entre lágrimas enquanto esperávamos que a guarda, Sra. Mullens, nos deixasse atravessar a High Street. — Sou alérgica a gatos!

— Você nunca vem me visitar de qualquer forma — esclareci. Nós sempre brincamos na casa da Mary Kay porque ela diz que meus irmãos são muito brutos. Isso porque uma vez, quando ela foi até a minha casa e estávamos brincando de leões (o *único* jogo que Mary Kay vai jogar na vida), Mark decidiu que ele era um leão assassino de um bando rival e derrubou Mary Kay da mesa de centro. Não surpreendentemente, isso a fez chorar.

— Sim — disse Mary Kay. — Mas agora eu *realmente* não vou.

— Vai ficar tudo bem — falei para encorajá-la. — Eu virei ver você.

— Não, não virá — disse Mary Kay, ainda chorando. — Você vai estar muito ocupada com seus novos amigos e seu ga-gatinho!

Eu sabia que provavelmente isso era verdade, mas não disse nada porque uma das leis que anotei sobre amizade era: *Só diga coisas legais para seus amigos, mesmo que não sejam verdadeiras*. Isso faz com que se sintam melhor e assim eles gostam mais de você.

É importante que as pessoas gostem de você. Se ninguém gostar de você, então terá de almoçar sozinha, como aconteceu quando Scott Stamphley começou na escola e ninguém conseguia entender o que ele dizia por causa do seu sotaque de Nova York.

— Nunca estarei muito ocupada para você, Mary Kay — falei da forma mais gentil que podia, considerando o quanto ela estava me deixando irritada. — Entretanto, criar um gatinho *é* muita responsabilidade. Mais responsabilidade do que criar um hamster.

— Não é, não — falou Mary Kay.

— É — disse eu. — Na verdade, é, sim.

— Acho que você não deveria estar tão feliz em se mudar — disse Mary Kay. — Porque, para começar, se você se mudar, isso significa que não poderá mais caminhar até a escola comigo.

Apenas olhei para ela quando disse isso, porque caminhar até a escola com Mary Kay na verdade não é tão divertido assim. Ela tem tanto medo de tudo que se Buck — esse é o nome do cavalo que pasta no último campo de Walnut Knolls (sem casas sendo construídas, quero dizer), que por acaso fica bem perto da calçada que pegamos para ir ao colégio — coloca a cabeça para fora da cerca, ela corre. Ela tem medo dos grandes dentes de Buck, ainda que eu *tenha* mostrado a ela como deixar a mão esticada para que os dentes dele não possam beliscar a palma quando lhe damos restos de barrinhas de frutas ou qualquer outra coisa que restou do nosso lanche.

Você precisa saber essas coisas se vai ser veterinária.

Mas, lembrando a lei sobre só dizer coisas legais para seus amigos para que eles gostem de você, eu disse:

— É, isso *vai* me deixar triste. Mas provavelmente vou me acostumar. Em algum momento.

Entretanto, aparentemente essa resposta não foi boa o suficiente para Mary Kay, já que ela completou:

— E também, se você se mudar, não vai mais poder procurar o cérebro daquela criança nos arbustos.

O que achei que não foi uma coisa legal para ela ter citado. Principalmente porque ela sabe o quanto eu quero encontrar o cérebro daquela criança.

E como se eu já não estivesse pirando em, de repente, ter de me mudar para uma casa assombrada e começar em uma nova escola. Quer dizer, a não ser pela parte do gatinho — e talvez arrumar uma melhor amiga mais legal que Mary Kay —, eu nem sequer *queria* me mudar.

Mas eu ainda não sabia o que poderia fazer sobre isso. Eu não podia fazer nada sobre a mudança. Eu sou só uma criança!

— Olhe — disse eu para Mary Kay —, não vamos brigar. Provavelmente eu vou me mudar em algumas semanas, então vamos tentar conviver bem até lá.

— Pare de dizer isso! — gritou Mary Kay. — Pare de dizer que está se mudando! É o meu aniversário! Eu não quero que você diga que está se mudando OUTRA VEZ HOJE.

Eu me senti ainda pior depois daquilo. Havia esquecido completamente que era o aniversário de Mary Kay... ainda que eu devesse ter me lembrado, já que Carol viria à escola mais tarde com os bolinhos cobertos com glacê cor-de-rosa.

Então prometi que pelo resto do dia não diria a ninguém que provavelmente ia me mudar.

E não disse. Eu realmente não disse a ninguém que poderia me mudar, nem mesmo para a Srta. Myers quando ela falou que precisávamos escolher um país para estudarmos individualmente pelo resto do ano para um trabalho. Eu não disse a ela: "Olhe, Srta. Myers, veja bem, isso vai ser um problema, pois talvez eu não esteja mais aqui no próximo mês."

Não disse a Brittany Hauser que eu talvez me mudasse quando ela me perguntou se eu queria ir à casa dela para ver o gato chique, com pedigree, que o pai dela tinha comprado para a mãe como uma surpresa de aniversário.

Não disse à Sra. Fleener, a moça da cantina, que eu talvez me mudasse quando ela me pediu que lembrasse à minha mãe que ela não havia pago pela minha merenda do mês seguinte.

Não disse a ninguém mesmo que talvez me mudasse.

Pelo menos até quando, de alguma forma, me vi ao lado de Scott Stamphley durante o jogo de queimado na educação física (que estávamos jogando apenas porque estava chovendo e então não podíamos ir lá para fora jogar beisebol).

E a verdade é que, àquela altura, eu já estava louca de vontade de contar a *alguém*. E imaginei que seria seguro contar a Scott, já que nenhuma menina da minha sala fala com ele. Não por causa do seu sotaque de Nova York. Todos superamos isso depois dos primeiros dias conhecendo-o. Mas por causa de sua coleção de cobras, que ele insiste em trazer para o colégio toda vez que tem uma feira de ciências. Então, não era como se tivesse alguém a quem ele pudesse contar, de qualquer forma.

— Quer ouvir um segredo? — perguntei a ele enquanto estávamos parados na parte de trás do pátio, onde as grandes bolas vermelhas não conseguiam nos alcançar. Mary Kay já estava fora do jogo; ela fora queimada logo de cara, pois é claro que todo mundo queria acertá-la no dia de seu aniversário e fazê-la chorar. O que funcionou totalmente. Então agora ela estava sentada na lateral do lado de fora do campo, mostrando ao Sr. Phelps a marca vermelha que a bola deixara na sua coxa e dizendo: "M-mas é me-meu aniversário-o-o!", entre soluços.

— Acho que não — disse Scott sobre a minha pergunta secreta.

Mas como eu sabia que ele só estava dizendo isso para ser chato, contei assim mesmo.

— Acho que vou me mudar.

— Grande coisa — disse Scott. E essa é uma das razões por que as meninas não gostam dele. Ele é muito grosso com a gente. Também porque ele faz coisas que Brittany Hauser diz que são nojentas, como arrotar alto durante a aula quando a Srta. Myers não está prestando atenção.

Mas eu não estava ligando por ele estar sendo grosso comigo, porque simplesmente era um grande alívio contar para alguém.

— Provavelmente eu não vou mais frequentar esta escola — falei pra ele.

— Que bom — disse Scott. — Assim não vou ter mais de olhar para a sua cara idiota.

Como esse simplesmente é o jeito de Scott, não encarei como uma ofensa. Também porque sei que se você suspirar e se afastar quando os meninos agem assim, como faz Brittany Hauser, você está de fato lhes dando o que eles querem.

— Vai ser muito difícil — falei para ele. — Vou ter de fazer novos amigos.

— *Isso* realmente vai ser difícil para você — disse Scott. — Levando em consideração como você é feia.

Se Scott tivesse dito aquilo para Mary Kay, é claro que ela teria começado a chorar. Mas estou acostumada com a maneira como os meninos falam por causa dos meus irmãos.

Então eu disse:

— Veja esse machucado que consegui caindo da minha bicicleta.

E mostrei a ele o enorme machucado verde-azulado no meu ombro, que não dói, mas que é muito desagradável de se ver.

E Scott, exatamente como eu pensei que faria, se inclinou para perto para ver, dizendo:

— Que *beleza*...

E foi quando eu saí da frente dele e, tipo, trinta bolas o acertaram bem na cara.

Éééééééé. Falando em beleza.

Mas acho que Scott não achou isso tão bonito, porque mais tarde, quando Carol entrou na nossa sala segurando os bolinhos, Mary Kay veio até mim, chorando, e disse:

— Muito obrigada por estragar o meu aniversário!

Fiquei totalmente perplexa. Não entendia como havia estragado o aniversário de Mary Kay, considerando-se que eu não estava fazendo nada a não ser colorir a figura de um leão, que eu havia planejado dar a ela de *presente de aniversário*.

— O que você quer dizer? — perguntei-lhe.

— Por que você simplesmente não pergunta ao Scott? — perguntou ela, afastando-se com impaciência.

Olhei para onde estava Scott e vi que ele estava fazendo um cartão *enorme* para Mary Kay, que dizia: *Que pena que Allie está se mudando. Agora você não terá mais amigo nenhum mesmo. Feliz aniversário!*

E um segundo depois Britanny Hauser e a melhor amiga dela, Courtney Wilcox, vieram até mim e ficaram falando coisas do tipo: "Você está se mudando? Por que nem contou para a gente?", logo quando Carol e a Srta. Myers começaram a cantar "Parabéns para Você".

Mas a aniversariante já tinha abaixado a cabeça sobre a mesa e estava chorando.

Então, no fim das contas, acho que esse não foi um aniversário muito feliz para ela.

LEI nº 4

Irmãos — e pais — podem ser muito insensíveis

A parte boa de estar brigada com a minha melhor amiga era que me afastar dela seria bem mais fácil. Por exemplo, agora eu não precisaria me preocupar em marcar "encontros para brincar" com ela depois que nos mudássemos nem em comprar um presente de despedida, como a metade de um medalhão para ela e a outra metade para mim, de modo que cada uma tivesse a metade de um medalhão para se lembrar da outra (vi isso num filme uma vez).

Mas a parte ruim de brigar com a minha melhor amiga era que eu não tinha ninguém com quem conversar sobre como eu estava chateada com a coisa toda da mudança. Porque, mesmo que eu estivesse tentando não demonstrar, já que não queria deixar meus irmãos mais novos preocupados, eu estava muito, muito chateada, principalmente depois que Mamãe e Papai assinaram toda a papelada e finalmente pegaram a chave da casa nova. Porque foi então que passamos de "talvez" nos mudarmos para estarmos "definitivamente" nos mudando. Além disso, quando eles nos levaram até lá para o nosso primeiro grande passeio, não pude acreditar no que vi. Quero dizer, se eu havia achado que a frente da nossa nova casa era assustadora, bem, isso não era nada se comparado com como era lá *dentro.*

Porque era muito pior do que qualquer coisa que eu já vira em qualquer episódio de *Por favor, conserte minha casa.*

Na verdade, se quer mesmo saber, para mim, Mamãe e Papai não poderiam ter escolhido um lugar mais esquisito e mais deprimente para morar.

Bem, talvez se eles tivessem escolhido a casa mal-assombrada à qual o tio Jack me levou no último verão durante a feira do condado. Mas mesmo lá talvez tivesse sido melhor do que a casa onde supostamente íamos morar.

Porque, pelo menos, a casa mal-assombrada da feira do condado tinha tigelas com doces de uva em formato de olho e espaguete imitando tripas que você podia pegar com as mãos.

Mas a nossa nova casa não tinha nada nojento, mas legal, como aquilo. Em vez disso, tinha paredes pintadas de cinza-escuro (que Mamãe disse que ia pintar por cima. Como se *isso* fosse fazer diferença), exceto nos lugares onde as pessoas que eram donas da casa antes de nós haviam pendurado seus quadros. Nesses lugares, as paredes tinham uns remendos retangulares marrons.

E a casa tinha um desses tetos que o tempo todo pareciam que iam cair, sobre o qual Mamãe não se cansava de comentar, toda animada: "Pé-direito com 3 metros de altura!", não parava de dizer, mas eu não via o que era tão incrível. O tal teto só tinha candelabros pendurados, repletos de teias de aranha e que nem ao menos eram brilhantes como as minhas geodes.

Ainda assim, Mamãe continuava: "*Olhe* esse maravilhoso piso de madeira", mas, para mim, a verdade era que o carpete lá da nossa antiga casa era bem melhor do que o desagradável chão de madeira escura no qual estávamos andando e que fazia *creeeec* quando você pisava em qualquer lugar.

E, como se tudo já não fosse ruim o suficiente, havia aranhas por *toda* a parte; não apenas no porão. E cada quarto era ainda mais frio que o anterior. O lugar todo dava a impressão de que ninguém havia morado ali pelo menos nos últimos cem anos.

Mas isso não era o pior. O pior de tudo era o meu quarto — o que Mamãe apontara do carro na noite do Dairy Queen. Porque aquele acabou sendo o quarto mais gelado e escuro de todos. E o piso lá era o que mais rangia também — quem já ouviu falar de um quarto que nem ao menos tinha carpete? E mesmo que tivesse o que Mamãe chamou de janela panorâmica — que mais parecia uma torre em um castelo, redonda e praticamente toda de vidro, onde ela disse que Papai construiria um banco para que eu pudesse me sentar para ler meus livros —, de lá você nem ao menos conseguia ver a torre de eletricidade da cidade, mas apenas árvores e o topo das casas dos outros.

Como eu ia conseguir adormecer à noite se não conseguia enxergar a luz vermelha da torre de eletricidade acendendo e apagando, alertando os aviões para que não batessem nela?

Como?

Quando perguntei a Papai sobre isso, ele só falou:

— Bem, Allie, você só terá de aprender a adormecer de uma forma diferente.

Como se isso fosse *possível.*

Enquanto estava parada na caverna gigante que seria o meu quarto, não consegui evitar a lembrança do que havia acontecido na noite anterior. E o que aconteceu foi que a nossa corretora, Sra. Klinghoffer, havia aparecido e colocado um grande anúncio que dizia À VENDA no quintal da frente da nossa perfeitamente boa, não rangente e não assombrada casa de dois andares que, por algum motivo, meus pais queriam deixar.

A Sra. Klinghoffer limpou as mãos uma na outra, toda satisfeita quando terminou de colocar o anúncio, e olhou para mim, que a encarava da pilha de entulhos que em breve seria a casa atrás da nossa, onde eu estava procurando por novas geodes para a minha coleção de pedras (que em breve terei de jogar fora). Ela sorriu e depois disse:

— Não se preocupe, Allie. Esse anúncio não vai ficar aqui por muito tempo. Sua antiga casa logo será vendida.

Sei que *Não devemos odiar as pessoas, especialmente os adultos* — é uma lei. Sei que é uma lei porque anotei no meu caderno de leis logo depois que a Sra. Klinghoffer foi embora de carro.

Mas a verdade é que eu meio que odiei a Sra. Klinghoffer naquele momento.

E o negócio era que a Sra. Klinghoffer estava totalmente enganada. Eu não estava preocupada com a possibilidade de a nossa casa não ser vendida. Antes de qualquer coisa, o que estava me preocupando era que alguém comprasse a nossa casa antes que Mamãe e Papai tivessem tempo de perceber o erro terrível que estavam cometendo ao vender a casa.

Mas acho que eu era a única na nossa família que pensava assim. Nem mesmo Mark e Kevin concordavam comigo sobre o fedor da nossa nova casa. Eu podia dizer isso só de ouvi-los gritando: "Que maneiro!" e "Legal!", referindo-se aos seus novos quartos, que ficavam do outro lado do corredor do meu quarto.

E não era apenas porque cada um deles finalmente tinha seu próprio quarto e não precisariam mais dividir. Eles realmente pareciam amar o terrível, escuro e quadrado quarto no alto do terceiro andar (na nova casa os quartos de todas as crianças ficavam em um mesmo andar, partilhando um banheiro — que, a propósito, era realmente antigo, com uma banheira que tinha pés e aranhas no ralo).

A razão pela qual Mark e Kevin amaram seus quartos (além do fato de que não tinham mais de dividir) era porque havia uma grade do sistema de aquecimento que separava os dois quartos, e eles calcularam que poderiam abrir a grade para falar um com o outro através dela. E quando fizeram isso, suas vozes soaram bem estranhas, como se eles estivessem se comunicando do espaço ou algo assim. Eles já haviam inventado um jogo novo: ônibus espacial. O jogo era assim: um sentava de um lado da grade e o outro do outro, cada um em seu próprio quarto. Depois cada um abria a grade do seu lado.

Então um deles começava, falando na direção da grade: "Houston, Houston, aqui é o ônibus espacial. Você está me ouvindo? Câmbio."

E o outro respondia, falando na direção da grade: "Ônibus espacial, ônibus espacial, aqui é Houston, nós estamos ouvindo. Câmbio."

Daí o outro continuava: "Houston, nós temos um problema. Repito. Temos um problema. Os propulsores estão PEGANDO FOGO. Repito. Propulsores PEGANDO FOGO. Câmbio."

E assim por diante.

Sim, *era* estúpido. Mas o que você esperava? Eles são irmãos mais novos. Não é preciso muito para deixá-los felizes.

Mark e Kevin não viam o grande problema adiante — que aquela casa era grande demais e quebrada demais para Mamãe, mesmo com a ajuda do Papai, consertar sozinha, especialmente sem a ajuda de um carpinteiro da TV ou de um decorador bonitão. Que nós teríamos de mudar para uma escola totalmente nova no meio do ano. Que teríamos de deixar para trás não apenas a nossa coleção de pedras — aqueles de nós que as tínhamos —, mas os nossos melhores amigos.

E, tudo bem, talvez os nossos melhores amigos não tivessem sido os melhores, mas ainda haviam sido os melhores amigos, que eram, afinal de contas, melhores do que nenhum melhor amigo. Você não arranja melhores amigos — mesmo aqueles não tão legais — todo dia. Melhores amigos são, na verdade, bem difícies de achar. Mesmo os do tipo que nem estão falando com você no momento.

Mamãe e Papai estavam nos pedindo para desistir de tudo isso em troca de quê? Do Dairy Queen todas as noites? De um gatinho? Mudar para uma casa quebrada e possivelmente mal-assombrada de onde nem ao menos podíamos ver a torre de eletricidade? Não era justo!

Além disso, Mark e Kevin eram muito jovens para ver o que Mamãe e Papai estavam fazendo: nos prendendo, prendendo as crianças, bem no alto da casa — bem, o mais perto do topo que podíamos estar além do sótão, que, aliás, você podia alcançar por meio de um alçapão que ficava no teto do corredor entre os nossos três quartos. Sim, um alçapão mesmo, que você puxava para baixo com uma corda — de propósito, para eles poderem Ficar Sozinhos e Se Livrar de Nós, Crianças.

Mamãe e Papai alegaram que isso não era verdade, é claro. Mas quando os acusei disso, eu vi uns sorrisinhos. Depois eles disseram:

— Então, Allie... você teve alguma ideia sobre o tipo de gatinho que quer?

Eles devem achar que só porque tenho 9 anos não consigo perceber o que eles estão fazendo — tentando fugir do assunto sobre estarem querendo nos prender em um andar para que possam ficar sozinhos.

Mas posso ver que é *exatamente* isso que eles estão fazendo.

E tudo o que posso dizer é que quando finalmente nos mudarmos e alguma coisa (como a mão de um zumbi desencarnado) chegar se arrastando do porão para nos pegar (eu vi isso acontecer em um filme uma vez) e nossos gritos romperem a noite, e Mamãe e Papai tiverem de vir correndo por todos aqueles degraus para nos salvar, bem, eles merecem o que vão encontrar quando finalmente alcançarem os nossos corpos ensanguentados e sem vida.

Mamãe podia ver que eu não estava muito feliz com a situação e que nenhuma conversa sobre gatos ia mudar as coisas.

Então ela tentou melhorar os ânimos dizendo:

— Sabe, vocês vão ficar encarregados de escolher a cor da tinta ou o papel de parede para seus quartos.

— Verdade? — perguntou Mark. — Tipo, eu posso ter um papel de parede cheio de caminhões? Ou insetos?

— O que você quiser — respondeu Mamãe.

— Legal — disse Mark. — Eu vou escolher um papel de parede de veludo roxo, como no Lung Chung, o restaurante de comida chinesa.

— O que você quiser dentro de certos limites — corrigiu-se Mamãe. — Você não prefere ter um papel de parede legal, com barcos à vela, Kevin?

— Não — disse Kevin.

— E navios de piratas? — sugeriu Papai.

— Se forem navios de piratas de veludo — disse Kevin.

— Quero um papel de parede de rosas cor-de-rosa — falei. — E carpete cor-de-rosa cobrindo todo o chão.

— Mas, Allie — disse Mamãe —, é isso que você tem no seu quarto na casa antiga.

— Exatamente — afirmei.

— Mas qual é a graça nisso? — quis saber Mamãe. — Não quer experimentar coisas novas?

— Eu quero — disse Kevin. — Quero experimentar veludo.

— Por que vocês não vão lá para fora brincar um pouco? — perguntou Papai.

— Isso mesmo — disse Mamãe. — Papai e eu só temos de tirar mais algumas medidas e depois estaremos prontos para ir.

Mark e Kevin gemeram. Eles não queriam ir lá para fora. Eles gostaram de brincar dentro da nova casa, não só por causa da grade do aquecedor, mas porque havia longos corredores e passagens secretas (sim, é sério: a casa tinha escadarias na parte de trás e quartos para os empregados, que eram usados na época em que as pessoas tinham criadas e essas coisas de antigamente).

Meus irmãos não se importavam que os longos corredores fossem escuros e assustadores e que as passagens secretas tivessem o mesmo cheiro dos sapatos de Scott Stamphley, que uma vez ele me desafiou a cheirar depois da educação física.

A razão pela qual meus irmãos não se importavam com isso era porque irmãos não são muito sensíveis. Meio como os pais.

Essa é uma regra que preciso me lembrar de anotar, aliás: *Irmãos e pais não são muito sensíveis.* Não quero dizer que eles não são muito sensíveis como Mary Kay, que chora o tempo todo. Quero dizer que durante grande parte do tempo irmãos menores simplesmente não *entendem* nada. Como perceber que aqueles corredores longos e assustadores não são divertidos para brincar e que nossos pais estão nos prendendo no alto do terceiro andar para se livrarem de nós.

Eu, por outro lado, me apressei em seguir a sugestão de Mamãe e corri lá para fora, mesmo que fosse outono e estivesse meio frio — e também escurecendo cada vez mais cedo. Teria feito qualquer coisa para sair daquela casa horrível, até mesmo ficar no frio e no escuro esperando que Mamãe e Papai acabassem de tirar as medidas.

Eu odeio a casa nova a esse ponto.

A casa tinha um quintal bem grande, mas não tinha um balanço nem nada para brincar lá atrás. Somente árvores e o quintal. E não havia geodes para encontrar e começar uma nova coleção de pedras depois que a minha atual tiver sido jogada fora. Não havia nada no nosso novo quintal, só alguns espaços vazios que costumavam ser gramados.

Mas havia uma árvore que tinha galhos tão baixos que você podia escalá-los. Então Mark e Kevin começaram a escalar.

— Vem, Allie — chamou Mark, pendurado em um dos galhos mais baixos (que estavam pendendo com o peso dele). — Sobe com a gente.

— Você é tão burro — disse-lhe eu, impressionada com a insensibilidade dele. — Não vê o que está acontecendo?

— Não — disse ele. — Só sei que você está de mau humor.

— Mamãe e Papai estão cometendo um grande erro comprando essa casa nova — informei-lhe.

— Eu gosto da casa nova — disse Kevin. — Vou ganhar um papel de parede de veludo como o do Lung Chung.

Apesar de o Lung Chung ser o restaurante favorito de Kevin, porque é muito chique e Kevin gosta de coisas chiques, não é o meu favorito. Porque, além de ter papel de parede de veludo, eles servem sopa de tartaruga. Tem até uma tartaruga num lago de plástico — com uma ilha particular para ela se sentar — no chão depois da entrada.

Até o momento, ninguém na nossa cidade pediu sopa de tartaruga. Sei disso porque verifico a tartaruga toda vez que vamos até lá, e ela está sempre lá.

Mas nunca se sabe. Alguém pode peair sopa de tartaruga qualquer dia desses. E quando esse dia chegar, a tartaruga vai morrer. Isso é crueldade com os animais, se quer saber.

Pensar na tartaruga sempre me deixa zangada.

— Mamãe já disse que você não poderia ter papel de parede de veludo — lembrei.

— Não, ela não disse — falou Kevin. — Ela disse que eu poderia ter um papel de parede de veludo de *pirata*.

— Isso não existe, Kevin.

— Existe, sim. E também vou ter um candelabro como os que eles têm nas mesas do Lung Chung.

— Você não pode ter um candelabro de vitrais vermelhos no seu *quarto*, idiota.

— Posso, sim — disse Kevin. — E *você* é a idiota por não gostar desta casa. Esta casa é o *máximo*.

— Não, não é — falei. Talvez tenha sido porque eu estava pensando naquela tartaruga do Lung Chung. Ou talvez só porque eu estava pensando na casa nova. De qualquer forma, de repente, eu estava muito, muito zangada. — É escura, fria e feia.

— Sabe de uma coisa, Allie? — disse Mark. — *Você* é feia. Ei... Vou contar tudo! E você não vai conseguir ter seu gatinho!

Mas nem liguei. Eu não liguei que ele fosse contar que bati nele. Em primeiro lugar, porque não bati tão forte assim e, além disso, só bati no pé, que era a única parte do seu corpo que eu conseguia alcançar com ele na árvore.

Se não doer, não vale. Essa é uma lei.

Ou viria a ser quando eu chegasse em casa e a anotasse, de qualquer modo.

Então virei as costas para eles — mesmo que, tecnicamente, eu meio que devesse ficar tomando conta deles — e desci o beco (tem um beco entre a nossa nova casa e a casa vizinha) em direção à parte da frente da casa. E estava lá parada, me sentindo feia — tão feia quanto Mark me acusara de ser —, quando ouvi vozes e olhei para a casa vizinha... e percebi algo que não havia notado antes.

Havia uma menina, mais ou menos da minha idade, dando saltos para trás no jardim da casa dela.

LEI nº 5

Não deixe sua família se mudar para uma casa mal-assombrada

E não somente havia uma menina da minha idade lá, dando saltos para trás em seu jardim da frente, como também havia uma garota mais velha, jogando um bastão — um bastão de verdade, como aqueles que as líderes das paradas na TV usam — para o ar e realmente o *segurando quando ele descia.*

No começo, meio que só fiquei lá olhando para as meninas, porque elas eram as únicas formas de vida que eu tinha visto no nosso novo bairro durante todo o tempo que havíamos estado lá. Todas as casas na nossa nova rua eram exatamente como a nossa — grandes e assustadoras, com várias pequenas torres e janelas e quintais rodeados de cercas vivas e árvores velhíssimas com galhos horripilantes —, de modo que simplesmente supus que apenas pessoas idosas morassem em todas elas.

Mas agora eu via que algumas pessoas realmente jovens moravam em uma das casas.

E não apenas pessoas jovens, mas meninas que podiam dar saltos para trás e jogar — *e realmente segurar* — um bastão.

A menina que estava dando saltos para trás era muito boa naquilo. Era óbvio que ela fazia ginástica olímpica havia um bom tempo, pois era bem flexível. Estava pulando por todo o jardim.

Eu nunca consegui fazer ginástica olímpica. Há dois anos venho tendo aulas de balé. Continuei com o balé mesmo depois de Mary Kay desistir porque Madame Linda nunca a escolhia para usar a tiara durante o relaxamento. Antes do balé, Mary Kay me fez experimentar aulas de sapateado (horrível) e depois ginástica olímpica (ainda mais horrível). Meu pai diz que quem desiste nunca vence, mas eu digo que quem desiste sempre vence, porque quando você desiste de alguma coisa, você acaba tendo mais tempo para descobrir coisas que ama fazer, como colecionar pedras.

Mas não desisti do balé. Há apenas uma coisa de que gosto mais do que balé: o beisebol, que é um esporte legal porque você precisa acertar uma bola com um bastão. Quanto mais forte bater, melhor.

Mas, infelizmente, você não pode acertar a bola o tempo todo. Também existe a parte chata de esperar-até-que-seja-a-sua-vez-de-bater-na-bola.

Isso é como o balé. A melhor parte do balé é o *grand jeté*, ou seja, quando você corre e pula — o mais alto que conseguir e com as pernas abertas e bem separadas, como se estivesse (quase) voando — no ar.

A pior parte do balé tem algo a ver com a barra, que é essa coisa que fazem com que você segure enquanto faz *pliés* e outras chatices, que são um aquecimento para o *grand jeté*.

Não ligo quando balanço meu bastão e não acerto a bola.

E não ligo quando Madame Linda não acha que meus *grand jetés* são os melhores da turma, e então outra pessoa usa a tiara durante o relaxamento.

O que me incomoda é quando as pessoas tentam fazer com que eu faça coisas que não quero — como me mexer quando não estou a fim ou não desistir da ginástica olímpica porque meu corpo simplesmente não é muito flexível.

Meu corpo não é como o da menina que estava dando saltos para trás no jardim da frente. O corpo dela era muito, muito flexível.

Então percebi que a menina que estava dando saltos havia parado. Agora ela estava de pé, olhando para mim por sobre a cerca viva que circundava o jardim e o separava do beco entre as nossas casas.

— Ei — disse ela, olhando diretamente para mim. No seu rosto havia um grande sorriso. — Oi. Você é a garota nova?

Eu quase olhei por cima do meu ombro para ver com quem ela estava falando. Porque, tipo, "a garota nova"? Certamente essa não era eu. Eu sou Allie Finkle. Não sou a garota nova.

E então me lembrei de onde estava.

E me lembrei de que aqui eu *sou* a garota nova.

— Ah — falei. — Oi. Sim. Sou Allie Finkle.

— Sou Erica Harrington — disse a garota. Ela estava sorrindo muito. Era difícil imaginá-la chorando só porque alguém havia dito que, para variar, gostaria de ser a leoa. — E essa é minha irmã, Missy.

— Melissa — corrigiu-a a garota mais velha com o bastão, de uma forma não muito amigável. Ela não parou de jogar o bastão no ar e pegá-lo de volta. Ela era realmente muito boa nisso. Tão boa quanto Erica na ginástica olímpica.

— Estou no quarto ano da Pine Heights Elementary — continuou Erica, nem ao menos parando para admirar como sua irmã era boa em jogar e apanhar o bastão. O que acho que deve ser natural, se você visse esse tipo de coisa todo dia. — Missy está no sexto ano do Fundamental. E você?

— Estou no quarto ano também — falei. Estava começando a me sentir menos triste do que antes, quando estava no quintal ou dentro da nossa terrível casa nova. Na verdade, estava começando a me sentir um pouquinho — só um pouquinho — animada. Estava começando a me sentir animada porque estava começando a entender que Erica tinha a minha idade e talvez — só talvez — se tornasse a minha nova melhor amiga.

Eu sei que ainda era muito cedo para dizer isso e tudo mais. Mas, quero dizer, ela morava na casa ao lado da minha e estava na mesma série que eu.

O negócio era que ela seria uma melhor amiga muito melhor que Mary Kay, pelo menos até agora. Ela podia dar saltos para trás sem errar, tinha uma irmã mais velha que conseguia jogar *e* pegar o bastão e não havia demonstrado nenhum sinal de choro durante aproximadamente dois minutos de conversa.

O que praticamente era um recorde mundial, até onde eu sei.

Mas eu realmente não queria elevar as minhas expectativas quando o dia todo já havia sido uma grande decepção, com a casa e meu quarto e todo o resto. Quero dizer, havia grandes chances de que uma menina como Erica já tivesse uma melhor amiga, de qualquer forma. Eu sabia que não deveria me permitir ficar muito animada.

— Estudo na Walnut Knolls Elementary — falei, tentando ficar calma, mas já atropelando minhas palavras um pouco na ânsia de soltá-las. — Mas vou começar na Pine Heights Elementary no próximo mês, depois que nos mudarmos.

Erica soltou um gritinho educado para mostrar que também estava animada.

— Talvez a gente fique na mesma sala — gritou ela. — Você sabe quem vai ser sua professora? Porque existem duas turmas de quarto ano na Pine Heights. Tem a Sra. Danielson. Ela é legal. Mas também tem a minha professora, a Sra. Hunter. Ela é *muito* legal. Espero que você fique na minha sala!

— Espero que eu seja da sua sala também — gritei de volta. Gritei porque Erica gritou. *Se alguém está gritando de felicidade, a coisa mais educada a fazer é gritar também.* Essa é uma lei. Ou seria, quando eu chegasse em casa.

— Parem com essa gritaria — disse Melissa. — Vocês estão me deixando com dor de cabeça.

— Ah — disse eu com cuidado para não gritar mais. — Desculpe. — Para Erica, disse: — Você gosta de gatinhos? Porque eu vou ganhar um!

— EU AMO GATINHOS! — gritou Erica. — Como é o gatinho que você vai ganhar?

— Bem — falei, porque estivera fazendo muita pesquisa sobre o assunto desde que meus pais disseram que eu podia ter um. — A raça realmente não importa para mim, mas adoro persas porque são realmente fofinhos e eu amo gatos fofos. O mais importante para mim, no entanto, é que eu ganhe um gato abandonado porque existem muitos vira-latas que precisam de um lar. Então eu provavelmente ganharei o que eles tiverem na Sociedade Protetora de Animais quando formos procurar.

— Nossa gata, Polly, é da Sociedade Protetora de Animais — berrou Erica. — Quer entrar para conhecê-la? E para ver a minha casa de bonecas?

— Adoraria conhecer sua gata e ver sua casa de bonecas — berrei de volta.

— Eu disse para pararem de gritar — falou Melissa. — E você não precisa avisar aos seus pais aonde está indo primeiro?

— Ah, não — falei. — Eles não ligam. Desculpe pela gritaria.

E foi assim que fiquei amiga da minha vizinha Erica, na minha nova casa.

Não estou dizendo que éramos *melhores* amigas, é claro. Nada disso! Quero dizer, ninguém mencionou nada sobre sermos *melhores* amigas. Tenho certeza de que uma menina como Erica tem toneladas de amigas e até mesmo três ou quatro melhores amigas. Quem sabe? Estar com ela era simplesmente divertido. Sua casa era quase igual à nossa, só que, em vez de sombria e deprimente, a casa da Erica era muito alegre e acolhedora. E isso porque os pais dela já haviam feito um ótimo trabalho consertando a casa, de modo que, no lugar de tinta cinza nas paredes, havia um belo papel de parede cor de creme com pequenos botões de rosa.

E o chão, em vez de marrom escuro, era marrom bem claro e brilhante; e não rangia — ou, pelo menos, não rangia de uma forma ruim. E os candelabros cintilavam e realmente acendiam quando você os ligava, ao contrário dos candelabros da nossa casa, que não funcionavam.

Erica me apresentou sua gata, Polly, que era bonita e malhada e só rosnou para mim uma vez. Depois ela me mostrou um botão engraçado que você pode apertar e que fica embaixo do carpete da mesa de jantar e toca uma campainha em uma das passagens secretas perto da cozinha. Nos velhos tempos, era para avisar ao cozinheiro que a família estava pronta para que o próximo prato fosse servido, como a salada ou qualquer coisa assim.

Eu e Erica nos divertimos apertando o botão até sua mãe aparecer e dizer que, se fôssemos brincar com a casinha de bonecas de Erica, ela nos prepararia um chocolate quente.

Então subimos para o quarto de Erica, que era como o meu quarto na casa nova, mas todo arrumado e bonito, com carpete cor-de-rosa e uma cama de dossel como a que eu tinha no meu quarto.

Só que o quarto de Erica não era, de forma alguma, assustador ou deprimente!

E no quarto dela, no lugar da pequena torre, havia uma casa de bonecas enorme — tão grande quanto eu —, que Erica disse que pertencia à sua família desde os tempos de sua avó, que tinha luzes que você realmente podia acender e água corrente de verdade para que os habitantes da casa de bonecas pudessem tomar um banho (só que eles não podiam, na verdade, porque eram feitos de feltro e desmanchariam se você os colocasse na água).

Era a casa de bonecas mais legal e mais chique que eu já havia visto. Kevin teria morrido de felicidade.

E o melhor de tudo: Erica não chorou quando perguntei se eu podia ser a boneca. Ela nem ao menos fungou. Apenas disse, de forma muito animada:

— Certo. Eu vou ser a boneca mãe!

E então, mais tarde, quando sugeri que a boneca bebê fosse sequestrada e que um pedido de resgate, que incluía um pedaço da orelha dela, fosse enviado pela família dos golfinhos de vidro para a casa, Erica não se zangou nem um pouco por eu ter tornado a brincadeira assustadora. Em vez disso, ela fez a boneca mãe desmaiar antes de pedir ajuda à Unidade Antiterrorismo.

Foi totalmente perfeito.

Estávamos fazendo a família dos gatos de vidro resolver o caso quando, de repente, a porta do quarto de Erica se abriu e um menino entrou, dizendo:

— O que é essa gritaria toda aqui?

— Allie — disse Erica calmamente, como se meninos entrassem no quarto dela o tempo todo —, este é o meu irmão, John. Ele está no oitavo ano. John, esta é Allie. A família dela está se mudando para a casa ao lado. Não estávamos gritando, estávamos só brincando. Esses golfinhos sequestraram o bebê da casa de bonecas. É uma verdadeira tragédia. Mas está tudo certo, porque a Unidade Antiterrorismo está a caminho.

— Você está se mudando para a casa ao lado? — John pareceu preocupado. — Então imagino que tenha ouvido.

— Ouvido o quê? — perguntei.

— Sobre o motivo pelo qual a última família teve de se mudar — disse John.

— Não — falei. — Nunca os encontramos. Eles já haviam se mudado quando pegamos as chaves.

— Oh — disse John. Ele balançou a cabeça. — Então eu provavelmente não deveria dizer nada.

— John — disse Erica —, o que você quer dizer? Os Ellise se mudaram porque se aposentaram e compraram um apartamento em Miami.

— Sim — disse John. — Isso é o que eles querem que todos pensem. Apenas siga meu conselho, Allie. Não vá até o sótão.

— O sótão? — arregalei os olhos, pensando na longa corda no meio do corredor no terceiro andar e no filme que vi, no qual a mão do zumbi saía do sótão e matava as pessoas. — Por quê? O que tem lá?

John se mexeu como se tivesse estremecido.

— Só não vá até lá, certo?

— John — disse Erica. — Do que você está falando? Não tem nada...

Mas então a Sra. Harrington entrou correndo, falando que eu não havia avisado aos meus pais onde estava e que eles estavam me procurando poı toda parte, loucos de preocupação.

Durante todo o tempo em que a Sra. Harrington estava me guiando pelos corredores cor de creme com botões de rosa, fiquei pensando: *Como isso aconteceu? Como fui de "brincando alegre com a minha nova melhor amiga de o bebê sequestrado da casa de bonecas" para "tem algo maligno vivendo no sótão da minha casa nova"?*

E o que poderia ser essa coisa maligna? O que de tão horrível os Ellise podiam ter deixado para trás para o tom de voz de um garoto do oitavo ano — praticamente tão alto quanto o meu pai — diminuir para um sussurro quando mencionava o assunto? Enquanto a Sra. Harrington me guiava escada abaixo até a porta da entrada, repassei mentalmente todas as coisas que ouvira sobre o que vivia nos sótãos.

Ratos? Não, não são suficientemente assustadores para incomodar um garoto do oitavo ano.

Morcegos? Nojentos, mas, novamente, não assustadores o bastante.

Bruxas? Qual é! Elas não são assustadoras para um garoto do oitavo ano. E elas não moram em sótãos.

Fantasmas? Bem, poderia ser um fantasma. Mas fantasmas não machucam as pessoas de verdade, machucam? Eles só aparecem e as assustam.

E então, no momento em que a Sra. Harrington estava me empurrando para a porta, me lembrei.

A mão do zumbi desencarnado. A mão do zumbi desencarnado vivia no sótão no filme que eu tinha visto!

E quase corri de volta para a casa grande e confortável de Erica e implorei à sua mãe para que me deixasse morar com eles.

Porque aquela mão era aterrorizante! Verde, brilhante e muito assustadora!

Mas não tive muito tempo para pensar nela, porque Mamãe e Papai estavam me esperando no jardim dos Harrington e estavam *realmente* zangados comigo por ter ido à casa da vizinha sem avisá-los aonde estava indo (mesmo que em Walnut Knolls eu possa ir até a casa de Mary Kay sem perguntar e quando quiser. Bem, quase isso).

Mas isso aparentemente não fez diferença. Eu estava Muito Encrencada

Tentei contar à Mamãe e Papai o que o irmão da Erica havia dito. Tentei contar a eles durante todo o caminho de volta para a nossa casa, e no carro, e por todo o caminho até a casa antiga.

Mas os dois olhavam para mim sem expressão. Mamãe ficava dizendo:

— Allie, conhecemos os Ellise. São pessoas adoráveis.

E Papai ficava dizendo:

— E estivemos no sótão. Não tem nada lá, a não ser algumas caixas velhas.

— Você olhou *dentro* delas? — perguntei. — Porque provavelmente é onde está.

— Onde está o quê, Allie? — quis saber Papai.

— A coisa — falei. Não queria dizer na frente de Mark e Kevin, que estavam no banco de trás comigo, saboreando o sorvete de creme com calda de cereja e creme com calda de caramelo, respectivamente (meu castigo por ter saído sem dizer aos meus pais aonde estava indo foi que todo mundo ganhou um sorvete no Dairy Queen, menos eu).

— *Vocês sabem* — falei com ênfase para Mamãe e Papai. Eu não queria assustar Mark e Kevin contando, na frente deles, o que John havia dito.

Por outro lado, eles *precisam* crescer em algum momento. E, afinal de contas, era uma questão de vida ou morte.

— A coisa que pode sair no meio da noite e.... — fiz a mímica da mão me asfixiando até a morte.

— Allie — disse Mamãe —, seu tio Jay tem deixado você ficar acordada para assistir filmes de terror com ele quando fica com vocês?

— Talvez — respondi. Como se algum dia eu fosse revelar o meu pacto secreto com o tio Jay. Ele jurou que nunca me deduraria sobre os filmes de terror se eu jurasse que nunca revelaria o que realmente aconteceu com o relógio de mergulho do Papai.

Minha mãe diz que o tio Jay, que é irmão do Papai, sofre da síndrome de Peter Pan, o que significa que ele não quer crescer. Mas Papai diz que ele é só como todos os outros universitários que frequentam suas aulas — levemente irresponsável.

Que é como eles ficam me chamando por ter ido até a casa da Erica sem avisar e por não ter tomado conta dos meus irmãos como deveria.

Mas, se você quer saber, ir até a casa da Erica foi *muito* responsável. Porque, se eu não tivesse ido, ninguém na minha família saberia a verdade sobre a nova casa.

Provavelmente foi por isso que Mamãe e Papai conseguiram comprá-la por um preço tão baixo. De que outra maneira eles poderiam comprar uma casa tão grande, com tantos quartos, mesmo que Mamãe tenha um *emprego* agora e Papai uma cadeira na faculdade? Casas mal-assombradas são baratas. Principalmente as que você mesmo precisa consertar. Todo mundo sabe disso.

— Querida — diz Mamãe. — Não há nada naquelas caixas além de coisas velhas que estamos planejando jogar fora assim que a caçamba de lixo chegar. A próxima vez que formos até a casa, levo você ao sótão e mostro.

— *Eu* não vou subir lá — declarei com firmeza.

— Eu vou — disse Mark, enquanto a calda de cereja escorria pelo seu queixo de um jeito nojento. — Não estou com medo.

— Eu também não — falei. — A não ser por vocês. Eu só não quero ver nenhum dos dois assassinados na cama pela mão do zumbi.

— Não existem mãos de zumbi no sótão — disse Papai. — Não sei o que o garoto da casa ao lado lhe disse, mas ele estava fazendo você de boba.

Mas eles não sabem. Mãos de zumbis não podem ser detidas, não importa o que você faça. Nem adianta ir atrás delas com uma serra, como fez o cara no filme que eu assisti com tio Jay.

Mas que importância isso tem para Mamãe e Papai, de qualquer forma? Eles não precisam dormir lá em cima, no terceiro andar, logo embaixo do sótão com aquele alçapão e aquela corda pendurada.

A verdade é: estamos condenados.

E eles nem ao menos sabem. Ou se importam. Mamãe até disse:

— Allie, não gosto desse tipo de conversa. Você está assustando seus irmãos.

— Não, não está — disseram Mark e Kevin, mas ela os ignorou.

— .. e se você continuar com esse tipo de comportamento, indo para a casa de estranhos sem nos avisar e espalhando histórias malucas sobre mãos de zumbis, sei de uma menininha que talvez não ganhe um gato no final das contas.

Mas se ela pensa que isso vai me fazer parar, bem, então ela não me conhece mesmo.

E naquela noite, quando chegamos em casa, depois que Papai voltou do passeio noturno com Marvin, me esquivei lá para fora e arranquei aquele aviso de À VENDA que a Sra. Klinghoffer havia enfiado no nosso jardim, bem no meio do terreno. Depois o escondi atrás do monte de entulho da casa que estavam construindo atrás da nossa.

Sei que, se em algum momento eu for pega, isso vai significar algo pior do que ter de ficar sem sobremesa. Com certeza absoluta vai significar que não vou ganhar o meu gatinho.

Mas se ninguém mais vai tentar salvar nossa família, bem, acho que vou ter de ser a pessoa a fazer isso. O que é um gatinho (principalmente um gatinho que você ainda nem tem) comparado com manter toda a sua família a salvo do verdadeiro mal, principalmente se ele estiver personificado na mão de um zumbi?

Claro que eu realmente teria gostado de uma gatinha de listras cinzentas e pretas, como o gatinho de vidro da casa de bonecas da Erica. Iria chamá-la de Miauzinha — Miau para simplificar —, daria a ela uma coleira cor-de-rosa e a deixaria dormir ao lado do meu travesseiro todas as noites.

Se eu tivesse um gatinho assim, não teria importância se olhasse pela janela e não visse mais a torre de eletricidade piscando todas as noites. Seria capaz de adormecer muito bem sem isso com Miau ronronando ao meu lado.

Mas que tipo de dona de gato eu seria, levando um filhotinho para uma casa fria, escura e deprimente, onde suas tripas seriam arrancadas pela mão de um zumbi desencarnado? Quero dizer, eu não podia deixar isso acontecer com um gatinho inocente!

Principalmente se o único meio de ganhar um gatinho fosse me mudando.

Tinha cem por cento de certeza de que essa era a *última* coisa que eu queria fazer.

Ah, é claro, ia sentir falta de não ter a Erica como amiga. Tinha sido totalmente legal ter uma amiga que não fosse chorona.

Mas eu não podia deixar meus pais venderem a nossa casa e se mudarem para a nova. Simplesmente não podia.

Porque você não pode deixar sua família se mudar para uma casa mal-assombrada.

E isso nem mesmo é uma lei.

É um fato.

LEI nº 6

Se sabe o que é bom para você, apenas faça o que Brittany Hauser disser

Na minha sala, a única pessoa — além de Mary Kay, é claro — que não parecia triste por eu possivelmente (tudo bem, provavelmente) estar me mudando era Scott Stamphley. Mas isso não era surpresa.

Pelo menos Scott é coerente, pois odeia todas as meninas da nossa sala da mesma forma. Sem nenhuma razão também.

Pena que o mesmo não possa ser dito sobre Mary Kay, que ainda estava zangada comigo por causa da coisa-toda de-ter-dito-para-Scott-que-estava-me-mudando-no-dia-do-aniversário-dela-depois-de-jurar-que-não-contaria-nada-a-ninguém.

E aquilo não foi culpa minha.

Apesar de que acho meio que foi.

Mas exceto por Mary Kay e Scott Stamphley, o restante da turma do quarto ano da Srta. Myers estava sendo muito legal comigo, agora que todos sabiam que eu estava me mudando.

Por exemplo, agora eu era regularmente chamada para ser a capitã do time na educação física. Isso significava que podia escolher quem quisesse para o meu time nos dias da aula no ginásio.

E isso não é tudo; no almoço, todos os dias a Sra. Fleener me deixava tomar leite achocolatado, ainda que Mamãe só tivesse pago pelo lanche básico do mês.

Além disso, a Srta. Myers começou a colocar os trabalhos de ciências e matemática em que tirei 10 no quadro, ao lado da mesa dela, e a pendurar meus desenhos de cachorro numa parede na sala de artes (não quero me gabar, mas, talvez porque convivo com um cachorro todos os dias, sou muito boa em desenhá-los; especialmente nas posições em que ele está sentando ou implorando-por-um-osso).

Essas eram as coisas boas relacionadas à mudança — as *únicas* coisas boas — as coisas que não faziam com que eu quisesse dizer para todo o mundo: "Hum, querem saber? Na verdade, se as coisas correrem de acordo com o plano, não vamos nos mudar no final das contas. Mas obrigada."

Depois vinham as coisas ruins relacionadas à mudança — quer dizer, além de ter de deixar para trás a minha coleção de pedras, a provável mão de zumbi no sótão, meu quarto novo horroroso, ter de recomeçar numa escola nova e tudo o mais.

Uma das coisas ruins era que Brittany Hauser e algumas das outras meninas — preocupadas com o meu desentendimento com Mary Kay — ficavam tentando fazer com que nos reaproximássemos, inventando motivos pelos quais deveríamos nos sentar juntas no almoço. Tipo, elas diziam: "Ah, hoje todos que estão usando azul devem se sentar do lado direito da mesa. Não, do *lado* direito..." Também tentavam me encorajar a escolher Mary Kay quando eu era capitã na educação física para que ela fosse do meu time e tal ("Allie, você devia escolher Mary Kay. Ela é realmente boa no queimado. Não, é mesmo!").

Acho que faziam isso porque, se nos sentássemos juntas ou se Mary Kay fosse do meu time ou algo assim, teríamos de conversar.

E, se conversássemos, seríamos amigas novamente.

E então tudo voltaria ao normal.

O que essas meninas não entendiam era que nada voltaria a ser normal — não com a mudança e definitivamente não entre mim e Mary Kay. As coisas haviam deixado de ser normais entre nós no dia que empurrei uma espátula na garganta dela. E foi por isso que, naquele dia, precisei começar a escrever as leis.

Não que alguma delas, exceto Mary Kay, soubesse disso. Mas mesmo assim.

De qualquer forma, nada do que Brittany e suas amigas tentaram fazer para que eu e Mary Kay voltássemos a nos falar funcionou. Porque todas as vezes que Mary Kay terminava ao meu lado — por acidente ou de propósito (porque, sinceramente, eu estava mais do que pronta para encerrar a briga) — ela percebia o que estava acontecendo e se levantava e saía, nervosa e de nariz empinado.

Ou, se era do meu time na educação física, ela apenas ficava o mais longe que pudesse de mim... tipo, lá do lado de fora do campo, onde nenhuma das bolas nem ao menos chegava (o que também era bom, já que Mary Kay em geral gritava, se abaixava e corria procurando abrigo se em algum momento a bola realmente se aproximasse o suficiente para que ela a pegasse).

Eu disse a Brittany que aquela era uma causa perdida. Disse para ela simplesmente desistir. Mary Kay, como falou minha mãe um dia, pode guardar rancor por mais tempo que qualquer outra pessoa, incluindo a Vovó, mãe de Papai, que ainda não está falando com o tio Jay porque ele largou a faculdade de medicina para estudar poesia.

E isso foi há três anos.

Mas Brittany não iria desistir. Ela ficava dizendo:

— Allie, você e Mary Kay não podem deixar de ser amigas. Vocês são As Melhores Amigas desde o jardim-de-infância. É muito tempo de amizade para brigar só por causa de uma coisa boba como você contar ao Scott Stamphley que está se mudando.

— No aniversário dela — lembrei. — Quando ela me pediu para não comentar com ninguém sobre isso.

Quebrar uma promessa feita à sua melhor amiga no aniversário dela é violar uma lei importante. Sei disso agora. Quero dizer, agora que tenho meu livro de leis.

Pena que agora é tarde.

— Mesmo assim — disse Brittany. — Você sem Mary Kay é como manteiga de amendoim sem geleia. É como sal sem pimenta. É como... como...

— Eu sem você, Brit? — perguntou Courtney Wilcox, esperançosa.

Brittany olhou para ela.

— Hum, é. Bem, seja o que for. A *questão*, Allie, é que temos de pensar num jeito de fazer com que vocês duas se falem novamente antes que você se mude.

— Bem — falei. Não quis contar a verdade... que não estava tão certa sobre me mudar, afinal de contas. Meu plano para impedir que a casa fosse vendida parecia estar funcionando. Até agora meus pais não haviam mencionado que a placa de À VENDA não estava no nosso jardim da frente. Eu sabia que havia mais trabalho a fazer — a Sra. Klinghoffer tinha colocado anúncios no jornal e na internet e havia um open house programado para o próximo fim de semana.

Mas eu só podia lidar com uma coisa de cada vez.

Além disso, eu havia aprendido uma lição a partir da história com Scott Stamphley: não estava contando a ninguém nenhum outro segredo, só para garantir.

— Olhe — disse Brittany. — Deixe isso comigo, tudo bem?

Pisquei para ela.

— Deixar o que com você?

— A coisa com Mary Kay. Eu tenho um plano.

— Tem? — Eu não estava certa se gostava dessa ideia.

— Tenho — disse Brittany. — Um plano *brilhante,* se me permite dizer.

Eu estava *mesmo* certa de não gostar da ideia. A última vez que Brittany tinha tido um plano brilhante — se livrar de uma professora substituta de quem ninguém gostava quando a Srta. Myers ficara de cama, com gripe — acabara com a substituta chorando na sala dos professores e a Sra. Grant, nossa diretora, vindo à nossa sala e retirando nossos privilégios por uma semana. O que pode não ter sido grande coisa para Brittany, que não é uma grande fã de beisebol ou mesmo de softball.

Mas que foi uma grande coisa para mim.

Ainda assim, não disse nada.

Porque uma das outras coisas de que não gosto em relação ao beisebol (além da coisa toda de esperar-até-que-seja-a-sua-vez-de-bater-na-bola) são as pessoas que ficam loucas enquanto estão jogando e discutem se a bola foi válida, ou foi fora, ou tanto faz e desperdiçam o tempo de todo mundo impedindo que a minha vez de acertar a bola chegue.

Essas pessoas já são ruins o bastante.

Mas o pior — o pior mesmo — são os arremessadores de bastões. Essas pessoas ficam tão descontrolas durante o jogo que arremessam seus bastões.

No beisebol profissional, arremessar o bastão pode fazer com que você seja automaticamente suspenso.

Meu pai diz que arremesso de bastão é falta de espírito esportivo. A única coisa pior, diz ele, é arremesso de taco de golfe, porque os tacos de golfe podem se quebrar em pedacinhos caso se partam (como eu descobri quando estava tentando abrir as geodes com eles) e arrancar o olho de alguém.

O pior arremessador de bastão da nossa escola não é quem você está pensando. Não é Scott Stamphley.

É Brittany Hauser. Uma vez ela arremessou um no chão com tanta força que ele quicou e quase acertou a cabeça do receptor.

Então isso virou uma lei: *Nunca seja o receptor quando Brittany Hauser for arremessar.*

Não é que Brittany seja uma má pessoa. Ela só tem um gênio ruim. E quando as coisas não saem do seu jeito, ela atira coisas por aí.

Por isso: *Seja o que for que Brittany Hauser diga, apenas faça* (essa é outra lei).

Portanto, quando Brittany disse que tinha um plano para me reaproximar de Mary Kay, eu não disse nada como: "Ah, Brittany, isso realmente não é necessário."

Afinal de contas, por acaso o grampeador da Srta. Myers estava bem perto de nós.

Além do mais, eu sabia que o plano de Brittany ia dar errado. Porque Mary Kay não estava pronta para me perdoar. Não mesmo.

Eu sabia disso porque tinha chegado perto de Mary Kay mais cedo naquele mesmo dia, quando ninguém estava olhando, e tinha dito: "Mary Kay. Olhe. Sinto muito pelo que fiz. Foi a coisa mais estúpida que já fiz. Eu não queria magoar você. Tudo o que quero é que sejamos amigas de novo. Estou escrevendo as leis da amizade e da vida e tudo o mais, como mostrei a você, e estou realmente tentando segui-las. E estava apenas pensando... bem, você acha que agora pode simplesmente me perdoar?"

Mas Mary Kay deu meia-volta e saiu bruscamente. Como sempre.

Então, seja o que fosse que Brittany estivesse planejando, não ia dar certo. E parecia que simplesmente todo mundo no universo sabia disso.

Menos Brittany.

Mas ela descobriria isso bem rápido.

Eu só tinha de me assegurar de estar fora da linha de fogo quando ela executasse seu plano.

LEI nº 7

A primeira impressão é muito importante

O negócio é que eu provavelmente deveria ter perguntado a Brittany se ela tinha alguma dica sobre como evitar que nossa casa fosse vendida. Estou certa de que ela teria um plano para isso também.

Só que provavelmente envolveria algo como colocar fogo no lugar.

E eu ainda queria poder realmente *morar* na minha casa.

Então não era uma boa opção.

Em vez disso, tive de me concentrar em bolar meu próprio plano. Não sabia como ia fazer isso, mas de alguma maneira precisava impedir que nossa atual casa perfeitamente boa fosse vendida para outra pessoa, de modo que Mamãe e Papai não tivessem opção a não ser vender a nova casa horrorosa para alguém.

Eu havia aprendido o bastante sobre bens imobiliários nas últimas semanas (de tanto ficar por perto ouvindo a conversa de Mamãe com a Sra. Klinghoffer ao telefone) para saber que nós não poderíamos ter duas casas ao mesmo tempo... pelo menos, não por muito tempo.

Assim, a coisa óbvia a fazer era evitar que a nossa casa boa fosse vendida. E então Mamãe e Papai não teriam escolha a não ser vender a casa nova.

Imagino que isso não pareça justo. Mas sabe o que *realmente* não é justo? Comprar uma casa mal-assombrada que tem a mão de um zumbi desencarnado no sótão sem sequer consultar seus filhos sobre isso.

A Sra. Klinghoffer já havia dito que tudo dependia do que aconteceria no open house do próximo fim de semana. Um open house acontece quando as pessoas que têm uma casa para vender a deixam aberta para o público e qualquer um que quiser pode ficar perambulando pela casa, xeretando todos os quartos, olhando as coisas de todo mundo e decidindo se quer ou não morar ali.

Isso mesmo! Qualquer um! Pessoas totalmente estranhas fuxicando as minhas coisas!

Mamãe disse que ninguém ficaria olhando as minhas coisas. Ela disse que todos ficariam olhando a casa, tipo medindo a área, checando o sistema de aquecimento de água e coisas assim.

Mas, se isso é verdade, por que ela nos fez limpar nossos quartos tão bem como nunca havíamos feito antes em toda a vida? Por que tivemos de arrumar nossos brinquedos em duas pilhas: brinquedos que queríamos guardar e brinquedos com os quais não brincamos mais?

E por que ela deu os brinquedos com os quais não brincamos mais para a caridade, para "diminuir a bagunça"?

E, tudo bem, é verdade que eu meio que abandonei o meu Parque Temático da Polly Pocket.

Mas isso não quer dizer que quero que outra criança que eu nunca vi fique com ele!

Pelo menos ela ainda não me fez jogar minhas pedras fora. Ainda.

Mas essa hora está chegando. Posso sentir.

— Nem mesmo posso passar o aspirador entre elas — disse Mamãe, reclamando das sacolas de papel que ficam no chão do meu closet. — Allie, isso é ridículo. Você simplesmente não pode ter dez sacos de pedras no chão. Vai ter de se livrar deles, Allie.

— Você disse quando nos mudarmos — expliquei. — E ainda não nos mudamos.

— Contratei limpadores de carpete profissionais — disse Mamãe. — Como eles vão limpar o carpete por baixo de dez sacos de pedras? Allie, você tem de mudar isso de lugar. Não pode ao menos colocá-las numa prateleira ou algo assim?

Na verdade, Mamãe me perguntar se eu poderia colocar minhas pedras numa prateleira me fez pensar em uma coisa. Bem, isso e o fato de que as pessoas ficariam xeretando e fuxicando as minhas coisas o dia todo durante o open house.

Então, fiz o que Mamãe pediu. Peguei emprestada a escadinha da garagem e troquei de lugar cada saco de pedra. Com muito, muito cuidado.

Tudo que precisava fazer era me lembrar de trocá-los de lugar novamente depois que os limpadores de carpete fossem embora, de modo que estivessem no lugar certo para o open house.

Mas eu tinha muitas coisas com que me preocupar nesse meio-tempo. Uma delas era que Mamãe e Papai haviam marcado uma visita à nossa nova escola — Pine Heights Elementary — para que conhecêssemos nossos novos professores. Eles viriam nos buscar na escola no meio do dia, o que significava que eu ia perder a aula da minha matéria favorita: ciências. Estava bem zangada com isso.

Mas, principalmente, estava nervosa. E se eu não gostasse da Pine Heights Elementary? E se não gostasse da minha nova professora? Eles ainda nem estavam certos sobre quem seria a minha professora, se seria a Sra. Hunter, a professora de Erica, ou a outra, a Sra. Danielson, então eu ia conhecer as duas. Aparentemente, havia mais crianças na quarta série da Pine Heights do que em qualquer outra série, e por isso eles ainda não estavam certos sobre a turma em que poderiam me encaixar.

Entretanto, enquanto estava esperando que Mamãe e Papai viessem me buscar, um pensamento ainda pior me ocorreu. E se os alunos da quarta série da Pine Heights Elementary não gostassem de *mim*? Isso não era totalmente impossível. Pelo menos dois alunos da minha turma atual

— Scott Stamphley e minha ex-melhor amiga — já não gostavam de mim. Podia mesmo acontecer!

Isso me deixou tão nervosa que meio que comecei a sentir que poderia vomitar.

— Sabem — falei quando Mamãe e Papai chegaram para pegar Mark e eu para a visita à nossa escola. Kevin já estava com eles. — Eu estive refletindo. Se a Pine Heights realmente não conseguir me encaixar em nenhuma turma, posso simplesmente ficar na Walnut Knolls.

— Boa tentativa — disse Papai, totalmente insensível à minha situação. — Entre no carro.

Fomos até a casa nova e estacionamos na garagem de lá.

— Como — disse Mamãe — a nova escola é tão perto, vocês podem andar até lá. Então achamos que deveríamos mostrar o caminho a vocês.

— Legal! — disse Mark, pegando um fruto que havia caído de uma das árvores enormes do nosso jardim da frente e atirando-a em um pássaro, que, é claro, teve o bom senso de voar bem antes de o fruto se aproximar.

— Papai — reclamei, porque, como uma futura veterinária, não posso tolerar nem mesmo uma *possível* crueldade contra animais.

— Mark — disse Papai.

— Eu sabia que a bolota não ia acertar o pássaro — disse Mark.

— Vamos tentar passar um tempo agradável juntos — disse Papai — e não jogar nada.

O que era muito fácil para o Papai falar. *Ele* não precisava se preocupar com um monte de alunos do quarto ano possivelmente o odiando.

— Vocês já encomendaram o papel de parede de veludo de pirata para o meu quarto novo? — quis saber Kevin.

— Estamos tentando, querido — disse Mamãe. — E se for só um papel de parede de pirata, e não de veludo?

— Eu vou morrer — disse Kevin.

— Ah, vejam aquela casa — disse Mamãe, apontando para uma casa enorme do outro lado da rua. — Vejam os adornos em volta da varanda. Isso não é bonito?

É incrível como os pais podem se concentrar em coisas como adornos quando os filhos estão com a vida potencialmente se esvaindo pelo ralo bem diante de seus olhos.

A Pine Heights Elementary *era* realmente bem perto da nossa casa. *Perto* demais, se você quer saber. Perto o suficiente para que o nó no meu estômago não tivesse a chance de se desfazer. Ficava a apenas duas ruas... e nem ao menos eram ruas movimentadas. Tipo, nem era necessário esperar que um guarda de trânsito ajudasse você a atravessá-las. Não havia chance de ser atropelado por um carro enquanto se estivesse andando de skate sem capacete e ter o cérebro espalhado por todos os lugares da rua.

Porque não havia carros.

Mas isso, na verdade, não fazia da Pine Heights Elementary uma escola muito boa. Quero dizer, talvez fosse legal se você gostasse de prédios muito velhos, como a Mamãe.

Mas se você realmente tivesse de frequentá-la e estivesse acostumado com as coisas da sua antiga escola, como, hum, uma lanchonete que não era também o ginásio e que *também* não era o auditório da escola... bem, não era isso que você encontraria na Pine Heights Elementary, onde as mesas da lanchonete eram arrastadas até encostarem nas paredes para que houvesse espaço para as crianças jogarem basquete e onde, mais tarde, alguém deixaria várias cadeiras dobráveis arrumadas para quando fosse preciso assistir a uma peça no palco (sobre o qual também estava pendurada uma das cestas de basquete).

Além disso, a Pine Heights Elementary era muito escura, exatamente como a nossa nova casa, que foi construída por volta da mesma época. Para completar, a Pine Heights Elementary tinha um cheiro esquisito.

E embora a diretora, a Sra. Jenkins, fosse muito legal e tivesse dito que eles estavam fazendo tudo o que podiam para me encaixar em uma das turmas da quarta série, não gostei da sala dela, onde havia um garoto ruivo que estava lá por causa de alguma confusão. Vai saber o quê. Mas ele parecia bem assustado.

Provavelmente porque a Sra. Jenkins mata os alunos que são mandados para a sala dela, diferente da diretora da minha escola antiga, a Sra. Grant, que pergunta se está tudo bem em casa e depois dá ao aluno um pedaço de alcaçuz e manda você voltar para a aula (o que é muito ruim, pois uma das minhas leis é *Alcaçuz é nojento*. Mas não é tão ruim quanto a morte).

Tive de passar muito tempo com a Sra. Jenkins, porque minha mãe acabou indo com o Kevin até o jardim-de-infância e Mark acabou indo com meu pai até a turma da segunda série. E a Sra. Jenkins disse:

— Então levarei Allie lá em cima para apresentá-la a Sra. Danielson e a Sra. Hunter, se vocês permitirem.

E minha mãe e meu pai disseram:

— Parece ótimo. — Mesmo que eu tenha lançado para os dois olhares que queriam dizer: *Não! Não me deixem sozinha com ela!*

Mas, como sempre, eles me ignoraram. Isso acontece muito quando você é o mais velho. Seus pais simplesmente supõem que você é capaz de tomar conta de si mesmo.

A não ser quando você vai para a casa da sua nova amiga sem dizer a eles aonde vai, é claro.

Então, tive de conversar com a Sra. Jenkins durante todo o caminho pelas longas escadas (algo que, na minha escola antiga, nós não temos. Temos RAMPAS), o que foi bem difícil, pois seus joelhos estalavam tão alto que pareciam sacos de Ruffles sendo esmagados dentro das calças, e eu não conseguia realmente ouvir o que ela estava dizendo.

Quando chegamos à primeira turma do quarto ano e a Sra. Jenkins disse: "Essa é a sala Dois Zero Oito, a turma da Sra. Danielson", fiquei realmente chocada, porque, quando ela abriu a porta e coloquei minha cabeça para dentro, o que vi parecia uma turma saída de um programa de TV sobre a vida na savana ou algo assim, e não uma turma dos dias atuais.

Quero dizer, claro, havia grandes janelas que davam para o pátio (que tinha balanços e um campo de beisebol — que meu pai ressaltou, com uma piscada, que poderíamos usar como o nosso campo de beisebol particular sempre que quiséssemos, até mesmo quando a escola não estivesse aberta, já que não havia cerca ao redor dos campos), um quadro negro e tudo o mais.

E, tudo bem, as crianças não estavam usando pantalonas ou algo do gênero.

Mas estavam sentadas numas carteiras antigas que tinham uma tampa que levantava para guardar todas as coisas dentro (eles nem mesmo tinham armários na Pine Heights Elementary).

E o cabelo da Sra. Danielson estava preso num COQUE! E ela usava um terninho cinza sem graça em vez de algo moderno.

Pior, ela havia decorado a sala com pensamentos em balões, como os que saem da cabeça dos personagens das histórias em quadrinhos. Dentro dos balõezinhos havia palavras sobre como nascem as histórias. E as frases eram algo como *Histórias nascem de ideias* e *Ideias nascem de pensamentos criativos* e *Depois de pensamentos criativos surge a estruturação dos tópicos* e *Bons tópicos nascem de boas anotações* e *Só depois de deixar suas anotações em ordem você pode começar a escrever sua própria história*!

Coisas assim tiram toda a graça de escrever histórias.

Coisas assim me fazem ter vontade de andar de skate na High Street sem capacete.

A Sra. Danielson estava dando uma aula sobre fotossíntese. Havíamos aprendido fotossíntese no mês anterior! O quão atrasadas estavam as crianças na Pine Heights Elementary?

E para uma turma que estava aprendendo sobre fotossíntese pela primeira vez, as crianças da Sala 208 certamente pareciam... entediadas. O que não fazia sentido algum, porque fotossíntese (o processo pelo qual as plantas verdes e alguns outros organismos usam a luz do sol para produzir alimentos a partir do dióxido de carbono e da água) é superinteressante, não tem nada de chato.

A não ser que esteja sendo ensinada de uma forma chata.

Quando viu a Sra. Jenkins e eu na porta de entrada, a Sra. Danielson abaixou o giz e perguntou:

— Posso ajudar?

— Ah, olá, Sra. Danielson — disse a Sra. Jenkins. — Esta é Allie Finkle. Ela deve se juntar à sua turma em algumas semanas.

— Bem, não sei onde ela vai se sentar — disse a Sra. Danielson, com uma risada que parecia um pouco com a da Bruxa Má do Oeste, devo admitir. — Estamos um pouco apertados aqui. Mas ela será muito bem-vinda, é claro.

Não estava certa de ter gostado daquilo (a parte de não-saber-onde-eu-ia-me-sentar). Olhei para o oceano de rostos desconhecidos que constituíam o quarto ano da Sra. Danielson. Claro, a professora deles podia me receber bem. Mas e quanto aos alunos? Eles não me pareceram particularmente amigáveis. Na verdade, me pareceram meio zangados... o que fazia sentido, considerando os balões de pensamentos.

Então percebi por que todos estavam olhando para *mim*! Eles estavam esperando que eu falasse alguma coisa!

Isso fez com que os nós no meu estômago se transformassem em laçarotes.

— Hum — disse eu. Talvez eles estivessem achando que *eu* é que não era muito amigável! *A primeira impressão é muito importante*, você sabe. Essa é uma lei. *Nunca é possível causar uma segunda primeira impressão* (também uma lei). Vi isso na televisão.

Eu não sabia o que dizer. E não conseguia acreditar nisso. Ali estava a minha única chance de causar uma primeira boa impressão, e eu já a estava estragando!

— É... obrigada. — Maravilha! Minha única chance de causar uma boa primeira impressão, e eu disse "Obrigada".

Todas as crianças apenas olharam para mim. Isso não estava ajudando em nada os laçarotes no meu estômago.

— Bem — disse a Sra. Jenkins —, vamos deixar vocês voltarem para a lição. Desculpe pela interrupção.

— Está tudo bem — disse a Sra. Danielson, com um sorriso não muito verdadeiro. Depois disso, para meu alívio, a Sra. Jenkins me puxou para fora da sala.

A sala seguinte, a 209, era a sala da Sra. Hunter. Ela era a professora de Erica e, como previsto, quando a Sra. Jenkins abriu a porta da sala da Sra. Hunter (que era exatamente igual à sala da Sra. Jenkins, só que ninguém parecia entediado) e nós entramos, vi que a cabeça de Erica foi uma das muitas que se virou na minha direção.

Quando Erica me reconheceu, deu um gritinho e acenou.

— Oi, Allie — sussurrou ela, sorrindo.

Eu não sabia o que fazer. Queria causar uma boa impressão, mas não sabia se havia problema em acenar de volta na frente de todo mundo. E se a Sra. Hunter ficasse zangada?

Mas não queria que Erica pensasse que eu não gostava dela. Decidi dar um aceno bem discreto para Erica e sorri enquanto também prestava atenção na Sra. Hunter, que era exatamente o contrário da Sra. Danielson. Seu cabelo não estava preso num coque. Na verdade, era cortado curto, mas de uma forma estilosa. E a Sra. Hunter também não estava usando um terninho. Estava com uma saia muito curta. Com botas de cano alto. E saltos altos! Ela parecia ser realmente moderna e legal.

E sua sala de aula não era decorada com pensamentos em balões dizendo que você não podia começar uma história antes de ter pensamentos criativos, estruturar os tópicos e ter seus cartões de anotações prontos. A sala dela era decorada com luas, nuvens e estrelas. Nas estrelas estava escrito algo como: "*Procure alcançar as estrelas!*" E nas nuvens estavam escritas coisas como: "*Depois de um dia nublado vem sempre um dia de sol!*" E nas luas: "*Gosto de pensar que a lua está lá, mesmo que eu não esteja olhando para ela. — Albert Einstein.*"

Percebi que aquela era uma turma muito melhor que a da sala 208.

Também constatei que, se *tivesse* de ficar em qualquer outra turma que não a da Srta. Myers, era nesta que eu gostaria de ficar.

— Bem — disse a Sra. Jenkins —, vejo que alguém nesta sala já se mostrou familiarizada. — Percebi que ela estava se referindo a Erica. Senti que estava enrubescendo de vergonha. — Mas, para os demais, e para você, Sra. Hunter, esta é Allie Finkle, uma aluna da quarta série que talvez passe a integrar esta turma em algumas semanas.

— É muito bom conhecê-la, Allie Finkle — disse a Sra. Hunter. Quando ela sorriu, pareceu ainda mais bonita que a Srta. Myers, o que eu nem sabia que era possível. — Você está se mudando para este bairro?

— Sim — gritou Erica, antes que eu tivesse a chance de dizer alguma coisa. — Ela está se mudando para a casa ao lado da minha!

Maravilha. Por que eu nunca conseguia causar uma primeira impressão normal?

— Bem — disse a Sra. Hunter, sorrindo um pouco mais para mim. — Isso é ótimo. Estamos ansiosos para que se junte a nós.

Mas eu não queria deixar ninguém esperançoso. Especialmente a Sra. Hunter, vendo como ela estava sendo legal.

— Bem — disse. — Eu não sei.

A Sra. Hunter pareceu confusa.

— Você não sabe se vai se juntar a nós?

— Eu expliquei a ela — disse a Sra. Jenkins, meio engasgada — que as duas turmas do quarto ano estão um pouco lotadas neste momento, de modo que não temos muita certeza da turma em que ela vai ficar.

— Não — falei, apesar da lei: *Não é educado corrigir um adulto*. — Quero dizer, talvez não nos mudemos.

— É mesmo? — perguntou a Sra. Hunter.

— Não foi isso que seus pais me disseram lá embaixo, Allie — disse a Sra. Jenkins.

— Certo — falei. — Mas, veja bem, ainda não vendemos a nossa casa antiga. — E se as coisas saírem como planejei, com a placa de À VENDA e minhas pedras, talvez no final não tenhamos de vender a casa... e nos mudar. Mas não disse isso em voz alta.

— Entendo — disse a Sra. Hunter. — Bem, realmente espero que você se mude. Nós adoraríamos tê-la na sala Dois Zero Nove. Agora mesmo estamos na hora de contar histórias... uma coisinha que gostamos de fazer antes do recreio. Sei que os alunos do quarto ano já estão um pouco velhos para ouvir histórias, mas eles parecem gostar, não é mesmo, turma?

— Sim — concordou a turma. Eles realmente pareciam gostar de ouvir histórias mais do que a turma da Sra. Danielson estava gostando de aprender sobre fotossíntese, julgando por suas expressões nem um pouco entediadas.

— Estamos lendo *A dobra do tempo* — disse a Sra. Hunter, mostrando um exemplar do livro que tinha em uma das mãos. — É um dos meus favoritos.

Apenas olhei para ela. Eu realmente não sabia o que dizer.

Porque A dobra do tempo *também é um dos meus livros favoritos.*

De algum lugar atrás de onde eu e a diretora estávamos, um sinal tocou bem alto, estridente como os de antigamente. Então uma porta se abriu. E a próxima coisa que percebi foi que os alunos inundavam os corredores.

— Hora do recreio — disse a Sra. Hunter, levantando-se do banco onde estava sentada. — Turma, por favor. Peguem seus casacos e depois fiquem em filas.

O quarto ano da Sra. Hunter afastou as cadeiras para trás e depois correu para pegar os casacos nos ganchos que ficavam na parede em frente à janela. Depois ficaram em duas filas separadas diante da entrada, onde esperaram, dando risadas, até que a Sra. Hunter disse:

— Bem, podem ir.

Então todos saíram correndo da sala — todos menos Erica, que ficou para trás e perguntou:

— Allie pode vir com a gente? — Olhei para a Sra. Jenkins, que olhou de relance para o seu relógio e depois concordou.

— Direi aos seus pais onde você está.

— Vamos! — gritou Erica, agarrando a minha manga.

Não me incomodei em perguntar a Erica aonde estávamos indo. Sabia, pela experiência anterior, que onde quer que fosse seria uma aventura, possivelmente envolvendo partes de corpos decepadas.

E não estava errada. Erica me guiou escadas abaixo para fora do prédio, do outro lado do campo de cascalhos da escola, em direção ao campo de beisebol, onde algumas crianças haviam começado a jogar queimado. No início, pensei que íamos nos juntar a elas.

Mas, para minha surpresa, Erica nos conduziu para além do jogo, em direção a alguns arbustos que cresciam ao longo de uma parede alta de tijolos que separava o terreno da escola dos quintais de algumas casas vizinhas ao local.

Achei que Erica iria parar quando chegássemos aos arbustos. Mas, quando vi, ela estava se abaixando e engatinhando bem na *direção* deles.

— Ei — falei, sendo cautelosa. — O que você está *fazendo*?

— Está tudo bem — disse Erica, olhando para trás na minha direção por cima do ombro. — Apenas me siga.

Eu não percebi que Erica talvez fosse maluca quando estava brincando em sua casa naquele outro dia. Mas o que eu sabia? Não conheço tanta gente assim. Minha mãe está sempre dizendo que o tio Jay é maluco. Mas só porque ele gasta todo o dinheiro que tem em equipamentos de som em vez de gastar com coisas normais, como refeições.

Olhei ao redor do pátio. Todas as outras crianças estavam correndo, jogando bola ou pulando corda. Ninguém estava engatinhando para dentro dos arbustos. Os arbustos eram tão densos que eu não conseguia enxergar Erica depois que ela os atravessou. Quem poderia saber o que estava acontecendo lá dentro? Talvez ela fosse uma assassina e estivesse me esperando com um machado, e quando eu engatinhasse até lá atrás dela, ela simplesmente arrancaria minha cabeça fora (vi isso num filme que assisti uma vez com o tio Jay).

Por outro lado, nós realmente tínhamos nos divertido brincando juntas com sua casa de bonecas, e ela não me matou naquela ocasião.

— Allie? — Ouvi a voz de Erica flutuando por entre os arbustos. — Você vem?

Decidi me arriscar. Parecia extremamente improvável que Erica fosse uma assassina. E se houvesse algo realmente bacana lá atrás e eu estivesse perdendo? Assim, me abaixei e engatinhei para dentro dos arbustos atrás dela.

Quando saí do outro lado, fiquei surpresa ao descobrir que os arbustos só se estendiam por uma pequena extensão, e que depois você chegava a um espaço aberto onde podia ficar de pé e passear. Os arbustos funcionavam como um tipo de tela de proteção, e por isso do pátio não era possível ver que, na verdade, havia uma grande área livre entre os arbustos e uma parede de tijolos. Um beco particular, praticamente só seu, com um belo telhado de folhas douradas do outono vindas das árvores dos quintais próximos cujos galhos pendiam sobre nossas cabeças.

Só que, para minha surpresa, percebi que Erica e eu não tínhamos o beco só para nós. Porque havia duas outras meninas paradas lá, olhando para mim. Meu estômago reagiu mais uma vez, estremecendo de nervoso.

— Oi — disse uma delas, que era alta e magra.

— Oi — disse a outra, que era baixa e gorda.

— Allie — disse Erica. — Essas são as minhas amigas, Caroline e Sophie. Elas também são da sala da Sra. Hunter.

— Oi — disse eu, reconhecendo as duas da Sala 209. Caroline era a alta e magrela. Sophie era a baixa e gordinha. — Sou Allie Finkle.

— Nós sabemos — disse Caroline. Ela não sorriu. Parecia muito séria. — Erica já nos contou tudo sobre você. Disse que você gosta de balé. E também de gatos e de beisebol.

— É — respondi —, eu gosto. Mas vejo que por aqui vocês gostam de queimado.

— É isso aí — disse Sophie. — Isso é só no recreio, porque houve um problema com *algumas* pessoas arremessando os tacos de beisebol. Então a Sra. Jenkins os levou. Agora só podemos jogar queimado.

— Ah — lamentei. Pensei que isso fora muito esperto da parte da Sra. Jenkins. E também que essa era uma política que deveria ser implantada na minha escola.

— Erica também disse que você tem uma imaginação fértil — continuou Caroline. — Foi por isso que dissemos que ela podia trazer você até aqui. Só contamos sobre este lugar para pessoas de imaginação fértil. Se elas não a têm, não podem ver o quanto é mágico.

Olhei ao redor.

— É verdade, posso ver o quanto é mágico — disse eu, admirada. — Gostaria que tivéssemos um lugar assim na minha escola. O que vocês fazem aqui? Brincam como se fosse uma fortaleza?

— Na verdade — disse Erica, animada —, brincamos como se fosse um castelo.

— Legal — falei. Porque realmente parecia um castelo, com as paredes de tijolo e tudo o mais. — E vocês fingem que são princesas?

— Rainhas — disse Sophie, parecendo indignada. — Princesas não têm poder algum.

— Certo — disse Caroline. Ela estava começando a parecer menos séria e mais animada. — Nós somos rainhas. Você também pode ser uma, se quiser. Normalmente, brincamos que um guerreiro malvado quer se casar com a Sophie, porque ela é muito bonita.

Diante disso, Sophie sorriu modestamente quando olhei para ela. Mas com seus cabelos castanhos cacheados e lábios cor-de-rosa, ela parecia mesmo bonita. Portanto, aquilo podia ser verdade.

— Certo — falei.

— Só que ela não vai ficar com ele porque seu coração está prometido para outro — continuou Caroline. — Então ficamos dentro da fortaleza do nosso castelo. O guerreiro malvado está atacando e estamos nos preparando para a batalha.

— Isso — disse Erica, alegremente. — Vamos derramar óleo fervente em suas tropas!

— Legal — disse eu de novo, os nós em meu estômago finalmente se desfazendo.

Estava feliz por ter encontrado meninas que se divertiam com uma brincadeira tão organizada durante o recreio. Na Walnut Knolls Elementary, o novo jogo que Brittany Hauser queria que todas jogássemos era líder de torcida (ensinando, a qualquer uma que ouvisse, os gritos de encorajamento que ela aprendera com sua irmã mais velha, Becca).

Brincamos de rainhas até que o sinal tocou, o que aconteceu antes mesmo que conseguíssemos lançar as catapultas cheias de cabeças dos integrantes do exército do guerreiro — cabeças que havíamos cortado com nossas cimitarras de mentirinha.

— Ahhhhh — disse Erica. — Não acredito que temos de voltar lá para dentro. Foi divertido. Você vai ficar para o almoço, Allie?

— Não — falei. Porque já podia ver meus pais, Mark e Kevin parados ao lado de uma das portas de acesso da escola, me procurando. — Acho que preciso ir.

— Bem, espero que você fique na nossa turma — disse Caroline.

— É — disse Sophie. — Espero que você não fique presa na turma chata da Danielson. Isso seria um saco!

— Isso *seria* um saco — disse eu, pensando nos balões com os pensamentos. Estava um pouco chocada, mas estava começando a ficar animada com a ideia de ir para a Pine Heights.

O que era uma loucura! Eu não queria me mudar! Mãos de zumbi! Um quarto horrível e escuro!

— Bem, foi legal conhecer vocês, meninas — disse eu, no exato momento em que Mamãe e Papai me localizaram e começaram a acenar como loucos, como se achassem que havia alguma chance de eu não os ver ou algo assim, o que não era provável, já que eles eram as pessoas mais altas no pátio, excluindo-se os professores. — Mas acho que devo ir.

— Tchau, Allie! — disse Sophie bem alto enquanto seguia para se juntar à fila para voltar para dentro do colégio.

— Vejo você depois, Allie — disse Caroline.

— Tchau, Allie! Vejo você na nossa rua! — disse Erica alto também, apressando-se para seguir as amigas.

Diferentemente de todas as crianças, fui me juntar à minha família. Entretanto, isso foi estranho. Na verdade, eu não queria isso.

— Bem — disse Mamãe, parecendo satisfeita —, vejo que fez novas amigas.

— Sim — falei. — Elas estão na turma da Erica, com a Sra. Hunter.

— E o que você achou da Sra. Hunter? — quis saber Papai.

Comecei a contar que achava que a Sra. Hunter era a melhor e mais bonita professora de todo o mundo — até mesmo mais legal que a Srta. Myers. Mas, infelizmente, Mark me cortou.

— O *meu* novo professor — disse ele — é muito legal. O Sr. Manx. Ele tem sete salamandras em um viveiro dentro da sala. Bem, eram oito, mas uma delas foi devorada pelas outras. De qualquer jeito, ele me deixou alimentá-las. Salamandras comem qualquer coisa que se mova e que caiba em suas bocas. Dei um grilo para elas comerem...

— Isso é nojento — explodi, agradecida por poder me desligar do quanto havia gostado da escola. — Pobre grilo!

— É o ciclo da vida — disse Mark sem rodeios. — As salamandras comem o grilo, depois ele sai pelo cocô, depois o cocô se transforma em fertilizante, depois...

— Kevin — disse Mamãe, rapidamente —, o que você achou da sua turma?

— Nada de mais — disse Kevin. E esta altura, estávamos voltando para casa. Casa? Para a nova residência, quero dizer. — Aquela escola não é muito chique.

— Você só gosta do que é sofisticado — disse Mark, com repugnância.

— Pode não ser uma escola tão nova quanto a sua em Walnut Knolls — disse Papai —, mas é uma escola muito boa.

— Mas tem cheiro de velha — reclamou Kevin. — E parece velha.

Assim que Kevin disse isso, a casa nova surgiu na nossa frente, com suas janelas escuras e árvores assustadoras com galhos negros rasgando os céus.

E percebi que Kevin estava certo. Ele podia ter apenas 5 anos, mas me lembrou de algo importante: que só porque havia gostado da Sra. Hunter e das amigas de Erica não significava que quisesse me mudar. Eu não estava pronta para abrir mão dos meus velhos amigos, nem da minha antiga escola, nem da minha antiga casa. Não para me mudar para uma nova casa que estava caindo aos pedaços de uma forma tão evidente que nem a deixariam aparecer no *Por favor, conserte a minha casa*. E que, a propósito, também era mal-assombrada. Nem vem!

— Não acho que possamos receber na Pine Heights uma educação tão boa quanto a da Walnut Knolls — falei.

— Allie! — gritou Mamãe. — Não seja ridícula! Claro que podem! Como pode dizer algo assim?

Por causa da mão do zumbi, quis responder.

E eu soube que tinha de esquecer a Sra. Hunter e o *Procure alcançar as estrelas!* E o castelo secreto e o jogo de rainhas. Tinha de esquecer Erica, Caroline e Sophie. Tinha de endurecer o coração em relação a tudo isso, porque o mais importante era que precisava impedir que nos mudássemos. Vidas estavam em perigo!

— Odiei a Pine Heights — menti. — Odiei muito.

— Allie — disse Mamãe, parecendo magoada. — Conhecemos a Sra. Hunter. Ela pareceu muito gentil. Sei que a diretora está fazendo tudo o que pode para que você fique na sala dela.

— Está? — Eu não queria parecer esperançosa. — Quero dizer... eu não ligo.

— E você pareceu gostar daquelas meninas que vimos com você no recreio — disse Papai.

— É — disse eu, dando de ombros. — Elas eram... legais.

— E o gatinho? — perguntou Mamãe. — Você não quer mais um gatinho?

Era isso. *É claro* que eu ainda queria um gatinho. Mais do que tudo. Toda vez que alguém falava a palavra "gatinho" o meu coração doía.

Mas ter um gatinho valia o destino da MÃO DO ZUMBI?

Não. Não, não, não. E não, também.

E eu não podia deixar que professoras bonitas e legais e novas amigas divertidas me distraíssem do fato de que ainda tinha uma guerra para vencer.

A guerra contra a mudança da minha família.

LEI nº 8

Não coloque seu gato numa mala

No dia do open house, Mamãe e Papai largaram cada uma das crianças na casa de pessoas diferentes para brincar, assim não ficaríamos atrapalhando. Levaram até Marvin para ficar com o tio Jay no apartamento dele no campus, para que ele não ficasse latindo para todos que estavam entrando e saindo da nossa casa nem deixasse marcas de patas nos carpetes recém-lavados.

Fui deixada na casa de Brittany Hauser. Ainda que Brittany não tenha nenhuma melhor amiga, já que é uma arremessadora de tacos, às vezes é divertido brincar com ela, já que tem duas irmãs mais velhas e, por causa disso, todas as Barbies e Bratzs (e todos os seus acessórios) conhecidas pela humanidade.

Além disso, os Hauser servem lanchinhos ótimos e que são proibidos na minha casa, incluindo Coca-Cola do tipo não diet e brownies feitos em casa, porque a

Sra. Hauser passa o dia todo em casa, fazendo coisas deliciosas no fogão.

E, acima de tudo, havia o novo gato da mãe de Brittany, especificamente seu gato de pedigree, do tipo que se leva para viajar ao redor do país para ser julgado em competições. Só que não são competições como as da feira do condado, mas sim importantes competições nacionais, que têm até jurados de gatos, como as da TV.

A Sra. Hauser, que é uma mãe que usa saltos altos para buscar a filha na escola em vez de tênis de corrida, como todas as outras mães, queria muito um gato de pedigree, de modo que, finalmente, como presente de aniversário de casamento deles, o Sr. Hauser comprou um só para ela. A Sra. Hauser tinha muito orgulho do seu gato de pedigree e, quando soube que eu poderia ganhar um gatinho — porque fiz o meu relatório informal sobre o assunto na sala de aula assim que soube que ganharia um (mas antes de ter descoberto sobre a mão de zumbi), Brittany ouviu e contou para a mãe —, disse a Brittany para me convidar para ir à sua casa conhecer sua gata persa registrada puro-sangue e pelo longo, Lady Serena Archibald.

Mesmo que eu soubesse que não ganharia mais um gatinho (principalmente depois do que sabia que ia acontecer no open house), estava muito animada para conhecer Lady Serena Archibald. Não é todo dia que você pode conhecer um gato com pedigree registrado. Quando eu soube que talvez ganhasse um gatinho, consultei todos os livros sobre gatos disponíveis na biblioteca da minha escola, de modo que havia lido um bocado sobre persas e sabia que eles eram umas das mais antigas espécies domésticas de pelo longo.

Assim, eu não via a hora de ir para a casa de Brittany.

Também estava um pouco animada por não ter de ficar com meus irmãos e meus pais. Ia ser legal ficar longe das minhas preocupações com a mudança e o porão e ter alguém da minha idade para conversar fora do ambiente escolar para variar um pouco.

Pelo menos, era isso que eu estava pensando até que Mamãe e Papai me deixaram na casa de Brittany. Quando caminhei até a porta, parei de achar que o meu tempo livre com Brittany seria tão divertido.

Isso porque, assim que entrei, logo vi que a coisa toda havia sido armada — pelo menos do lado de Brittany. Na verdade, tudo acabou se mostrando parte do "plano brilhante" de Brittany para que eu e Mary Kay ficássemos amigas de novo.

— Surpresa! — gritou Brittany assim que apareci na porta. — Convidei Mary Kay também! Agora vocês *terão* de se falar de novo! Porque vocês não podem ficar o dia todo na mesma casa sem se falarem.

— Quer apostar? — perguntou Mary Kay, olhando de relance para mim. Estava claro que Brittany também não a havia prevenido sobre o emocionante encontro que estava planejando para nós.

Também era óbvio, por sua expressão de raiva, que Mary Kay não ia recuar um milímetro sobre a coisa toda de ainda-estou-zangada-com-você.

— Vamos lá, meninas — disse Brittany, pegando cada uma de nós pela mão e olhando em nossos olhos de forma expressiva. — Vocês foram melhores amigas por muito tempo para deixarem que algo idiota como Scott Stamphley atrapalhe essa verdadeira união. Mary Kay, Allie só estará conosco na escola por mais algumas semanas. Você realmente vai ficar zangada com ela esse tempo todo?

— É, qual é, Mary Kay? — falou Courtney Wilcox. Porque Courtney também havia sido convidada para o encontro. Embora eu não fizesse ideia do que ela tinha a ver com qualquer um dos assuntos. — Allie não fez de propósito. Não foi, Allie?

Suspirei. Podia ver todos os meus divertidos planos de brincar com Lady Serena Archibald — para não mencionar a enorme coleção de Barbies e Bratzs de Brittany, todas as bonecas, a propósito, ainda com seus sapatos e pés — desaparecendo completamente no ar.

Pensei em pedir para usar o telefone e ligar para a minha mãe pedindo para ela me buscar. Apenas duas coisas me impediram de fazer isso. Uma delas era que sabia o que estava para acontecer com a minha coleção de pedras no open house.

A outra era que Brittany estava parada meio perto demais de uma escultura de um gato em tamanho natural (além de ter um gato com pedigree de verdade, a Sra. Hauser também colecionava gatos de cerâmica), e eu estava com medo de que, se tentasse sair, impedindo seu plano brilhante para nos reaproximar, Brittany jogasse a escultura em cima de mim.

— Não — disse eu. — É claro que não fiz por mal.

Mary Kay olhou furiosa para o chão. A parte de cima de suas orelhas estava ficando vermelha, um sinal de que ela estava prestes a começar a chorar.

Só que não por estar triste. Mas porque estava com raiva.

— Allie *prometeu* — disse Mary Kay. Mas não para mim. Aparentemente, ela estava falando com o chão, porque era para ele que ela estava olhando. — Ela prometeu não contar a ninguém que estava se mudando porque era o *meu* dia especial e pedi que ela não contasse. E o que foi que ela fez? Ela virou as costas e contou. Para *Scott Stamphley*, entre todas as pessoas no mundo. Foi para quem ela contou. Depois de ter PROMETIDO.

— Sei que prometi — falei. Realmente me sentia mal. Como se já não estivesse me sentindo mal com a minha promessa quebrada, além de um monte de outras coisas, havia semanas. — Mas esqueci por um momento. Você realmente vai usar um esquecimento temporário, que durou um minuto, contra mim pelo resto da minha vida? Quero dizer, você já esqueceu de coisas momentaneamente.

Mary Kay levantou o olhar e o fixou em mim.

— Tipo o quê?

Para ser sincera, naquele momento em particular não consegui me lembrar de absolutamente nada que Mary Kay tivesse esquecido momentaneamente. Estava muito certa de que havia acontecido algo. Só não conseguia me lembrar o que havia sido.

— Não sei — admiti. — Mas, tipo... coisas.

— Isso é ridículo — disse Mary Kay, fungando. — Não vou ficar aqui. Quero ir para casa. Vou ligar para minha mãe.

E fez um movimento em direção à cozinha de Brittany, onde estava o telefone mais próximo.

Mas Brittany foi mais rápida que ela. Ficou bem no caminho de Mary Kay.

E, com toda a certeza, eu vi sua mão pousando na escultura do gato ao lado.

E mais, Mary Kay também viu. E ficou imóvel.

Todos sabem da fama de arremessadora de bastões de Brittany. *Todos*.

— Ninguém vai para casa — disse Brittany, séria. — Todo mundo vai ficar aqui. Tenho algumas brincadeiras legais planejadas e lanches gostosos para comermos. E vamos brincar, comer e nos divertir juntas. Estão entendendo?

Mary Kay pareceu um pouco assustada. Não a culpo, na verdade. Brittany me assustou um pouquinho também.

Mas, desta vez, Mary Kay não começou a chorar.

Em vez disso, ela só disse:

— OK, Brittany — em um tom de voz que eu nunca a ouvira usando antes, mas que me pareceu familiar.

Um segundo depois, quando ouvi Courtney dizendo:

— Ah, lá está Lady Serena Archibald!

— Mantenha-a longe de mim! — gritou May Kay. — Você sabe que sou alérgica!

Foi quando percebi por que o tom de voz que Mary Kay estava usando me parecia familiar: porque era quase igual à voz de Courtney, que, na verdade, era quase igual à voz de Brittany. Porque Courtney está sempre tentando imitar Brittany.

Então percebi que Mary Kay também estava tentando imitar Brittany.

O que era meio esquisito.

Mas não pensei sobre isso depois, porque estava muito animada para conhecer Lady Serena Archibald, uma gata de pedigree de verdade.

E para ser sincera, a espera valeu totalmente a pena. Lady Serena Archibald era linda. Tinha pelos acinzentados longos e sedosos e grandes olhos azuis. Quando me aproximei para acariciá-la, Lady Serena Archibald virou aqueles grandes olhos azuis para me olhar, abriu a boca pequena e delicada e fez "Miau?" da forma mais fofa que você poderia imaginar em toda a sua vida.

A Sra. Hauser seguiu a gata até o quarto, seus saltos altos fazendo toc-toc no piso de mármore do hall de entrada dos Hauser, e disse, sorrindo:

— Ah, Allie. Estou tão feliz por você estar aqui. Finalmente você pôde conhecer Lady Serena. O que acha? Não acha que quer um persa agora?

Depois a Sra. Hauser continuou falando e me contou sobre os cuidados com os gatos persas com pedigree — tipo, como você deve escovar seus pelos todos os dias, pois são tão longos que eles não conseguem limpá-los com a língua, como os gatos normalmente fazem, e como Lady Serena Archibald nunca havia ido à rua, razão pela qual tínhamos de ter cuidado para não deixá-la sair da casa — embora eu já soubesse de quase tudo isso pelos livros que eu tinha lido.

Mas fingi que ainda não sabia — e também fingi que ainda havia uma chance de eu ganhar um gatinho quando, na verdade, depois de hoje, não havia a menor possibilidade de isso acontecer — e ouvi em silêncio, porque esta é a coisa educada a se fazer quando um adulto está dizendo algo que você já sabe, principalmente quando ele está falando de uma forma tão animada como a Sra. Hauser estava fazendo.

A propósito, essa é uma lei.

Quando a Sra. Hauser finalmente parou de falar e disse que tinha de levar a irmã mais velha de Brittany, Bethany, para o ensaio de sua banda — complementando que não deveríamos incomodar a outra irmã mais velha de Brittany, Becca, que estava na garagem com as amigas, pintando quadros para o bazar da escola na segunda-feira —, Brittany murmurou: "Pensei que ela não fosse sair nunca", e Courtney riu. Até Mary Kay deu um risinho nervoso.

Mas, sinceramente, achei que o que a Sra. Hauser estava dizendo era interessante, mesmo que eu já soubesse a maior parte, por causa dos livros que havia lido, pela minha vontade de ser veterinária quando crescer e tudo o mais.

— Agora que ela foi embora — disse Brittany —, podemos ir para o meu quarto e ir direto ao assunto.

Não estava certa se gostava da ideia.

— Que tipo de assunto? — perguntei, torcendo para que envolvesse a Bratz ou, pelo menos, a Barbie.

— O assunto de fazer você e Mary Kay serem amigas de novo — respondeu Brittany. — Agora, solte esse gato e vamos lá.

Soltei Lady Serena, ainda que, na verdade, não quisesse fazer isso, e segui Brittany até o seu quarto, onde não houve absolutamente nenhuma discussão sobre o que faríamos em seguida. Brittany não disse: "Então, gente, vocês querem brincar de alguma coisa? Que tal brincar de rainhas?" ou "Vocês querem pegar minhas amigas Barbies?" Ela nem mesmo disse: "Já sei! Vocês querem brincar de leões?"

Em vez disso, ela falou:

— Tudo bem, vamos brincar de pop star. Sou a juíza.

Ela nem mesmo explicou como se brinca de pop star, algo que, a propósito, eu nunca tinha ouvido falar. Na minha casa, não temos permissão para assistir a reality shows ou até videoclipes, porque minha mãe diz que eles corroem seu cérebro. Em vez disso, ela nos faz assistir à Programação de Qualidade, embora eu tenha explicado a ela que isso me deixa em desvantagem na maioria das situações em que preciso interagir com outros seres humanos.

— Quem fizer a melhor apresentação — continuou Brittany — ganha um brownie. Lá está o microfone. Courtney, você começa.

E Courtney pegou um microfone que estava sobre a cama de dossel de um cor-de-rosa forte e chique de Brittany, ligou um miniaparelho de *karaoke* que estava no meio do quarto muito cor-de-rosa e cheio de babados (que tinha ainda mais babados e cor-de-rosa que o meu quarto) e começou a cantar junto com o CD que estava tocando.

Quando ela terminou, Mary Kay bateu palmas e disse:

— Ah, minha nossa, Courtney, isso foi muito bom!

E eu disse:

— Hum, é, foi.

Embora, na verdade, não tivesse gostado da dança que Courtney fizera junto com a música. Era tudo meio chato. Não tinha nenhum salto ali. Na verdade, a música também era chata, só as palavras "baby, baby" de novo e de novo.

Sinceramente, desejei estar de volta à Pine Heights, atrás dos arbustos, brincando de rainhas com Erica, Caroline e Sophie. Aquilo tinha sido muito mais divertido.

Mas não disse isso em voz alta porque não teria sido educado. Essa é uma lei.

— Certo, Mary Kay — disse Brittany. Ela havia assumido a posição de julgadora em meio a todos os travesseiros no centro da sua cama. — Sua vez.

Mary Kay pareceu assustada.

— Ah, não — disse ela. — Eu não poderia! Nunca vou cantar tão bem quanto Courtney.

— Do que você está falando, Mary Kay? — perguntei. — Você canta músicas como essa o tempo todo para o espelho no seu banheiro.

Mary Kay me lançou um olhar perverso.

— Bem — disse eu —, você canta. E faz coreografias para as músicas também. — Como eu poderia saber que aquilo era um segredo? Mary Kay nunca tinha dito que era.

É por isso que eu preciso das leis. Amizade é uma coisa muito COMPLICADA.

Mary Kay se levantou de onde estava sentada, em um pufe branco de Brittany, e pegou o microfone de Courtney. Depois ligou o CD e cantou a mesma música de Courtney. E, basicamente, fez a mesma dança. Mas a dança de Mary Kay foi ainda mais chata do que havia sido a de Courtney. A não ser que estava claro que Mary Kay vinha praticando MUITO essa dança em frente ao espelho de corpo inteiro que ficava na porta do seu armário, porque ela incluiu um monte de reboladas de quadris na coreografia.

Quando ela terminou, nós três aplaudimos, embora eu tenha achado que ia morrer de tédio o tempo inteiro. A essa altura, preferiria estar brincando de leões. Eu até teria sido o leão, o macho. Teria ficado feliz com o tapete queimando meus joelhos por ter ido à caça, matado um antílope e o levado para casa para todas as leoas mães e leõezinhos comerem. Eu estava entediada a esse ponto.

— Certo, Allie — disse Brittany. — Sua vez.

Eu sabia que estava em apuros. Não sabia a música, embora pudesse ver que as palavras apareciam na tela do aparelho de *karaoke*, mas também não sabia a coreografia. Não havia como ganhar.

O que era um saco, porque eu estava realmente ficando com fome. Definitivamente, eu poderia comer um dos deliciosos brownies feitos em casa da Sra. Hauser. Não era justo que Brittany só desse os brownies como prêmios.

Na verdade, todas deveríamos ganhar um brownie, não importa se cantaram bem ou não. Afinal de contas, essa era a maneira educada de tratar os convidados.

Ah, tudo bem. Talvez quando voltasse, depois de ter deixado Bethany, a Sra. Hauser oferecesse um lanche para nós todas. Ela teria de fazê-lo, certo? Quero dizer, você não pode deixar seus convidados morrerem de fome. Essa é uma lei. Tenho quase certeza.

— Vamos lá — disse Brittany de seu trono de travesseiros. — Não temos o dia todo, Allie.

Fiquei surpresa ao perceber que estava meio nervosa. O que era estranho, porque Brittany, Courtney e Mary Kay eram minhas amigas. Bem, com exceção de Mary Kay, que era minha ex-amiga. Minha ex-melhor-amiga.

Mas por que deveria ficar nervosa por cantar na frente delas? É verdade que não sou a melhor cantora, mas também não sou a pior.

É só que... Eu não queria parecer idiota de uma hora para outra. Nem era mais por causa do brownie. Só não queria que elas rissem de mim.

— Vai *logo* — disse Brittany.

Percebendo que não tinha escolha a não ser continuar com aquilo, liguei o CD. As palavras da música surgiram. Cara, e foi rápido. Nem ao menos tive tempo de me aquecer. De repente, precisava começar a cantar.

— MAIS ALTO — gritou Brittany.

Tentei cantar mais alto.

— Você tem de dançar também — gritou Brittany.

O problema era que eu não conseguia ler as palavras e dançar ao mesmo tempo. Quero dizer, se estivesse dançando, não poderia ver a letra da música na tela.

Mas enquanto estava lá parada, percebi que as palavras não eram tão difíceis. Realmente eram as mesmas palavras — "baby, baby" — repetidamente. Além disso, eu já ouvira a música duas vezes. Então eu meio que sabia a letra.

Foi quando tive uma ideia. E minha ideia foi fazer uma dança diferente da dança que Courtney e Mary Kay haviam feito. Minha ideia foi meio que dançar balé. Para deixar a coreografia mais interessante.

Então comecei a fazer alguns *pliés*, *relevés* etc.

— O QUE VOCÊ ESTÁ FAZENDO? — quis saber Brittany. Eu ouvi Courtney e Mary Kay rindo.

Mas eu não liguei. Estava me divertindo. No final, o balé acabou funcionando com a música.

Mas realmente precisava de algo a mais. Precisava, percebi, de uns pulos. Então comecei a executar alguns *grand jetés*. Era meio difícil fazê-los e ainda segurar o microfone — para não dizer cantar —, mas consegui. Comecei a fazer *grand jetés* por todo o quarto de Brittany. E eles eram bem feitos também. Se Madame Linda estivesse lá, estou certa de que ela teria me deixado usar a tiara durante o relaxamento.

— PARE — disse Brittany. — ISSO NÃO FAZ PARTE DA MÚSICA.

Mas era tarde demais. A música tinha acabado e acabaram também os meus *grand jetés*. Fiz um gesto de agradecimento — o típico do balé, que é chamado de reverência e exige que a bailarina se abaixe bastante.

Courtney e Mary Kay aplaudiram.

— Parem de bater palmas — disse-lhes Brittany. E assim elas fizeram, parecendo culpadas.

— O que foi *aquilo*? — perguntou Brittany, olhando para mim.

— Balé — respondi.

— Bem — disse Brittany. — Você *não* ganhou o brownie. — Ela olhou para Mary Kay. — *Você* ganhou.

— Ah — disse Mary Kay. — Obrigada.

— Desça até a cozinha e pegue um — disse Brittany. — Estão em um prato no balcão.

— Certo — disse Mary Kay. Ela se levantou da cama e saiu do quarto.

— Agora — disse Brittany, quando ela havia partido. — O que vamos fazer para ela voltar a falar com você, Allie?

— Bem — respondi, sentindo-me furiosa com Brittany, mas tendo o cuidado de não deixar isso transparecer demais, para o caso de haver um taco de beisebol escondido dentro daqueles travesseiros sobre os quais ela estava sentada. — ELA gostou da minha coreografia. Ela estava rindo.

— Ela estava rindo DE você — ressaltou Brittany. — Não COM você. Não. Temos de inventar mais alguma coisa. Algo melhor do que pop star.

— Podemos comer — sugeri.

— Ainda não está na hora de comer — disse Brittany.

— Sim — falei. — Mas, quero dizer, QUANDO chegar a hora de comer. Podemos fazer isso juntas. Tipo queijo quente ou algo assim.

— Essa é uma boa ideia — disse Brittany, e eu me senti corar de orgulho porque realmente havia dito uma coisa que Brittany aprovou. — Só que não queijo quente. Minipizzas.

Isso não parecia tão bom para mim. Porque o problema da pizza é que ela viola uma das minhas leis, que é nunca comer nada vermelho.

— Isso seria bom — falei, hesitante. — Contanto que não tenhamos de botar molho de tomate nelas.

— Não seja idiota — disse Brittany. — É claro que você precisa botar molho de tomate nelas. São *pizzas*.

— Na verdade — disse eu —, tem uma coisa chamada pizza branca e é só...

— PIZZA PRECISA TER MOLHO DE TOMATE — berrou Brittany.

— Você não precisa gritar, Brittany — falei. — Estou bem aqui, posso ouvir você muito bem.

— Acho que tenho de gritar — disse Brittany —, já que parece que ninguém está me *ouvindo*. Deixe-me perguntar de novo. O que vamos fazer para que você e Mary Kay voltem a ser amigas que *não* envolva pizza sem molho de tomate?

Pensei sobre o assunto.

— Podemos brincar de rainhas — sugeri.

— O que é *isso*? — quis saber Brittany.

— Ah — disse eu, aliviada por ela ter perguntado. — É uma brincadeira muito divertida. Podemos fingir que seu quarto é um castelo, está bem? E tem um guerreiro malvado que está apaixonado por uma de nós. E suas forças estão atacando o castelo, que temos de proteger jogando óleo quente nas tropas.

— Quem eu serei? — quis saber Courtney.

— Você pode ser a rainha por quem ele está apaixonado — falei. — Ou uma das outras rainhas.

— EU NÃO VOU BRINCAR DE UM JOGO IDIOTA DE RAINHAS DE MENTIRA — berrou Brittany.

— Ei! — Mary Kay apareceu na entrada da porta. Ela estava segurando o que parecia ser o brownie mais delicioso que eu já havia visto. — Ah, não! Veja quem me seguiu até aqui!

Ela olhou para baixo, e todas seguimos seu olhar. E lá, se esfregando e ronronando no batente da porta com sua enorme cabeça de persa, estava Lady Serena Archibald.

— Ela está fazendo meus olhos lacrimejarem — choramingou Mary Kay.

— Ahhhh — disse eu. Cheguei para a frente para acariciá-la. Lady Serena era uma dessas gatas que gostam de receber carinho. Ela empurrou a cabeça contra a minha mão e ronronou alto.

— Ah! — gritou Brittany, levantando-se da cama de uma hora para a outra. — Conheço uma brincadeira realmente legal! Muito melhor que o *seu* jogo idiota, Allie.

Courtney também se levantou da cama.

— Sei que brincadeira é! — gritou ela. — Se é a que estou pensando.

— É — disse Brittany. — Se chama lady executiva. É superengraçada.

Courtney já estava rindo.

— Ah, meu Deus, ri tanto da última vez que brincamos que quase fiz xixi nas calças!

— Esse brownie é tão bom — disse Mary Kay, com a boca cheia. — Pena que vocês não possam comer um.

— É, uma pena — disse Brittany. Ela mal estava ouvindo. Estava muito ocupada fuçando o armário à procura de algo.

Lancei um olhar malvado para Mary Kay enquanto fazia carinho em Lady Serena. Ela apenas sorriu enquanto mastigava o brownie, sua "alergia" temporariamente esquecida.

Sinceramente, não acredito que um dia fomos amigas.

Courtney, observando Mary Kay mastigar, disse baixinho:

— Nossa. Estou mesmo com fome.

— Aqui está! — gritou Brittany, triunfante. E puxou, das profundezas do armário, uma mala de plástico grande e rígida... do tipo com rodinhas embaixo que você pode puxar pelos aeroportos.

— Para que você tem isso? — perguntei. Toda vez que eu parava de fazer carinho em Lady Serena, ela batia a cabeça contra a minha mão para que eu fizesse um pouco mais. Era tão fofa! Quase partia meu coração saber que nunca teria um. Um gato meu, quero dizer.

Mas a coisa engraçada foi que quando Lady Serena Archibald viu a mala, ela parou de ficar batendo a cabeça na minha mão e correu para a porta.

— Feche a porta! — berrou Brittany. — Não a deixe fugir!

Mary Kay, que ainda estava na entrada saboreando o que restava de seu brownie, bateu a porta e fechou-a bem no momento em que Lady Serena Archibald corria naquela direção, impedindo a única forma dela escapar.

— Agarre-a! — gritou Brittany, e Mary Kay abaixou-se e levantou Lady Serena ainda com as mãos cheias de chocolate... sua alergia completamente esquecida agora.

Lady Serena não gostou e soltou um gemido.

Tenho de admitir que também não gostei muito daquilo.

— Ei — interrompi. — O que vocês vão fazer?

— Eu já disse — comentou Brittany. — Vamos brincar de lady executiva. Agora, coloque Lady Serena na mala.

— O QUÊ? — Eu não podia acreditar no que estava ouvindo.

— Vai — disse Brittany para Mary Kay, que tinha hesitado. — Está tudo bem. Lady Serena gosta.

Mas eu podia dizer, pela forma como Lady Serena estava arqueando a coluna e tentando fincar as garras e dentes em Mary Kay enquanto ela se inclinava para botar a gata dentro da mala, que ela não gostava daquilo. Não gostava daquilo nem um pouco.

— Meninas — falei, me sentindo um pouco enjoada de uma hora para a outra. — Não acho que seja uma boa ideia.

— Não — disse Brittany, enquanto fechava com força a tampa da mala, prendendo Lady Serena Archibald lá dentro. — Está tudo bem. Courtney e eu brincamos disso o tempo todo. É muito divertido.

— Mas ela não pode *respirar* aí dentro — argumentei.

— Claro que pode — disse Brittany. — Ouça.

Ficamos todas quietas por um minuto. Então, vindo de dentro da mala, ouvimos um gemido fantasmagórico. Era Lady Serena Archibald, fazendo com que soubéssemos o quanto ela estava infeliz.

— Viu? — disse Brittany. — Se ela não pudesse respirar, como poderia fazer esse som?

— Esse som — enfatizei — significa que ela não gosta disso. Você deve deixar a gata sair. Ou — acrescentei essa parte em desespero, já que Brittany não estava me ouvindo — sua mãe vai ficar zangada.

— Só se ela descobrir — disse Brittany, dando de ombros. — Agora, vamos lá. Eu serei a lady executiva. Tenho de pegar um voo muito importante. — Brittany levantou a alça da mala com um gesto bruto e começou a arrastar a mala pelas rodinhas ao redor do quarto. Enquanto ela fazia isso, Lady Serena Archibald choramingava cada vez mais alto.

Courtney começou a rir.

— O som é tão engraçado! — gritou ela. — Parece um bebê.

Realmente soava como um bebê. Como um bebê muito insatisfeito.

— Tenho de me apressar — disse Brittany, olhando para um relógio de pulso imaginário. — Vou perder o meu voo.

Ela começou a andar mais rápido. Lady Serena Archibald começou a miar. Mas não um miado qualquer. Miados muito altos. Que realmente tinham o som exato da palavra "miau". *Miau. Miau.* Depois, enquanto Brittany movimentava rapidamente a mala por todo lado, mais alto — *MIAU! MIAU!*

— Ah, não — disse Mary Kay, se acabando de tanto rir na cama. — Ela não disse isso. Me digam que ela não acabou de dizer "miau" desse jeito!

De repente, Brittany jogou a mala e parou, fazendo Lady Serena Archibald escorregar e cair lá dentro.

— O que você quer DIZER com meu voo foi cancelado? — perguntou Brittany, parecendo horrorizada.

De dentro da mala, Lady Serena Archibald soltou um rosnado longo e baixo.

— Tem um gato aí dentro? — quis saber Courtney, engasgada de tanto rir. — Ou um urso?

— Sim — disse Brittany, levantando a mala e começando a balançá-la para frente e para trás, fazendo Lady Serena Archibald escorregar e bater de um lado para o outro dentro da mala. — Hora da esteira das bagagens...

— NÃO! — gritei.

E antes de pensar no que estava fazendo, eu havia tomado a mala das mãos de Brittany.

— Allie — gritou Brittanny. — O que você...

Mas eu já havia colocado a mala no chão e estava abrindo os fechos.

— Não, não faça isso! — gritou Brittany.

Mas já era tarde. Mal abri a tampa e, em uma fração de segundo, Lady Serena Archibald saiu correndo, o pelo arrepiado e os olhos azuis girando loucamente nas órbitas.

— Peguem! — gritou Brittany. — Não deixem que ela escape!

Courtney e Mary Kay mergulharam para pegar a gata. Mas eu estava determinada a não deixar que a gata de pedigree da Sra. Hauser sofresse abusos novamente naquele dia. Fui até a porta do quarto de Brittany.

— Não abra essa porta, Allie Finkle — gritou Brittany. — Não se você sabe o que é melhor para você!

Abri a porta.

Lady Serena Archibald disparou por ali, nada além de um suave borrão cinza e olhos arregalados e loucos em sua fuga frenética para a liberdade.

— Atrás dela! — gritou Brittany.

Eu não podia acreditar. Não podia acreditar que Brittany estivesse sendo tão má com a gata de sua mãe.

— Meninas — chamei. — Qual é? Vamos brincar de alguma outra coisa. Que tal Barbie?

— Barbies são para bebês — disse Brittany com intensidade enquanto passava rapidamente na minha frente em direção ao corredor, perseguindo a pobre Lady Serena Archibald, que desceu as escadas e passou pelo hall de entrada.

Não tive escolha a não ser ir atrás das outras meninas. Eu tinha de ter certeza de que elas não pegariam a coitada da gata para colocá-la de volta naquela mala.

— Ela está no escritório — ouvi Brittany gritar de algum lugar da enorme casa dos Hauser.

— Acho que a vi entrar na sala de estar — gritou Courtney de volta.

— Acho que ela foi para a lavanderia — berrou Mary Kay.

Mas elas estavam erradas. Porque encontrei Lady Serena Archibald tremendo perto de uma porta fechada lateral à cozinha, olhando para mim com seus grandes olhos tristes, implorando para que eu abrisse a porta e a deixasse escapar.

E foi o que fiz...

Assim que Brittany entrou correndo.

— Allie, não! — berrou ela.

Mas era tarde demais. Lady Serena, ouvindo a voz de sua inimiga mortal, correu pela porta em direção à liberdade.

— Sua IDIOTA! — gritou Brittany para mim.

— Que pena — falei, fechando a porta atrás de Lady Serena Archibald. De repente, eu não ligava que Brittany estivesse de pé bem perto de uma das esculturas de cerâmica de gato de sua mãe. Deixe que ela a jogue em cima de mim. E daí que eu tenha de levar pontos? Talvez assim eu precise ir para casa. — Mas você sabe, Brittany, crueldade contra animais é um crime sério. Você pode ir para a cadeia por causa disso. Além do mais, Lady Serena vai fi car bem no porão.

— Aquela não é a porta do porão, sua estúpida — enraiveceu-se Brittany. — Aquela é a porta para a garagem, e minha irmã está lá fazendo seus quadros com a *porta da garagem aberta*! Você acaba de deixar Lady Serena sair... e ela NUNCA ESTEVE NA RUA ANTES!

LEI nº 9

Quando fizer algo errado, sempre peça desculpas (mesmo que a culpa não seja totalmente sua)

Passamos o resto da tarde procurando por Lady Serena Archibald na vizinhança dos Hauser.

Infelizmente, ela não estava em lugar algum.

Pensei que talvez ela ainda estivesse escondida na garagem. Nem Becca nem suas amigas tinham de fato visto a gata sair da garagem.

Lá havia muitas botas de esqui, *coolers* e maquetes antigas de vulcões (velhos projetos de ciências das irmãs de Brittany) espalhados pelas prateleiras, e ela poderia estar escondida atrás daquilo.

Mas olhamos dentro, ao redor e até mesmo *embaixo* de todas aquelas coisas, e ela não estava lá.

Só havia uma conclusão a ser tirada: ela havia fugido.

Lady Serena Archibald, uma gata persa com pedigree, campeã, estava vagando pelos arredores selvagens de Walnut Knolls. Quem poderia garantir que ela voltaria para casa? Quero dizer, depois da forma como Brittany a tratara, se eu fosse ela, não voltaria.

Mas é claro que, quando a Sra. Hauser voltou de sua missão (com pizza e *grissinis* de queijo para a gente lanchar, porque minha mãe a alertara que eu não comeria nada vermelho), nós não pudemos contar essa parte para ela. Digo, a parte sobre *por que* eu tinha deixado a gata dela sair. Eu disse apenas que havia cometido um erro. Disse que Lady Serena Archibald tinha ficado sentada ao lado da porta, miando (o que nem era uma mentira), e que eu havia pensado que fosse a porta que levava ao lugar onde guardavam a caixinha de areia dela ou algo assim; então eu havia aberto a porta e deixado que ela saísse sem prestar atenção.

A coisa toda, disse eu para a Sra. Hauser sem conseguir olhar em seus olhos, tinha sido minha culpa.

E eu lamentava muito, muito mesmo.

A Sra. Hauser foi legal. Estava mais preocupada com Lady Serena Archibald do que com qualquer outra coisa. Ela ligou para a polícia e tudo (mesmo que eu ache que eles meio que riram dela porque ela desligou muito rápido e disse: "Bem, Lady Serena pode ser apenas uma gata para eles, mas é como uma criança para MIM!").

Ela também ligou para o controle de animais e para a associação de moradores para pedir que ficassem de olho em qualquer gato persa errante que pudesse estar perambulando pela área.

Depois, todas colocamos nossos casacos e começamos a andar pelo quintal, chamando "Aqui, Lady Serena Archibald. Aqui, gatinha, gatinha", balançando sacos da ração favorita de Lady Serena e batendo colheres nas latas de seu patê favorito.

Nada funcionou, entretanto. Lady Serena Archibald não voltou para casa. As pessoas do controle de animais disseram que era provável que ela voltasse quando estivesse pronta, mesmo quando a Sra. Hauser explicou que Lady Serena nunca havia estado na rua antes e provavelmente nem ao menos sabia como *chegar* na casa.

Mesmo que para a Sra. Hauser estivesse tudo bem por eu ter deixado sua gata escapar para a rua, certamente sua filha mais nova não pensava assim. Em toda oportunidade que tinha, Brittany se inclinava e sibilava: "Vou pegar você por isso." O que eu não achei muito legal, porque realmente não foi culpa minha. Quer dizer, foi, mas também não foi.

— Eu não contei — disse a ela, me referindo à mala.

— Não importa — sussurrou Brittany de volta. — Eu fiz tudo isso por você, de qualquer forma. É você que está se mudando. Quis tornar as suas últimas semanas aqui especiais, fazendo Mary Kay gostar de você novamente. Mas agora vejo por que ela não gosta. Você estraga tudo, Allie Finkle.

Isso foi meio duro de ouvir. Principalmente porque eu sabia que não era verdade. A verdade era: Brittany Hauser era a destruidora. Destruidora dos gatos, principalmente.

Naquele momento, eu estava meio feliz por provavelmente estar de mudança. De certa forma estava feliz por ir embora e nunca mais ver nenhuma dessas pessoas novamente.

Quando Mamãe chegou para me buscar, a única pessoa que estava falando comigo era a Sra. Hauser.

— Não se preocupe, Allie — disse ela enquanto eu entrava no nosso carro. — Tenho certeza de que Lady Serena Archibald vai voltar para casa quando ficar com fome.

Era meio difícil acreditar que ela estivesse pensando isso, entretanto. Porque eu podia ver as lágrimas em seus olhos. Ela só estava tentando ser forte. Ela amava *muito* aquela gata, ainda que só estivesse com ela há alguns meses.

E o negócio era que eu realmente podia entender por quê. Se eu deixasse meus pais se mudarem e ganhasse a Miau, sei que a amaria da mesma forma.

— Espero que sim — falei enquanto prendia o cinto. — Sinto muito.

— Sei que sente, querida — disse a Sra. Hauser com um sorriso. Mas eu podia dizer que, por trás do sorriso, ela estava tão preocupada quanto eu. Mais preocupada até.

Eu realmente não queria deixar a Sra. Hauser mais preocupada.

Mas queria fazer com que ela entendesse o que tinha acontecido — por que eu havia feito o que fizera.

Também queria ter certeza de que, se Lady Serena Archibald *realmente* voltasse algum dia, não precisaria ser resgatada novamente.

Então eu contei, mesmo que contar tenha feito o meu estômago doer (e não apenas porque eu não pude tocar no meu *grissini* de queijo, mas porque não estava com fome alguma depois de ter perdido a gata da Sra. Hauser).

— É que eu realmente acho que Lady Serena não gosta quando Brittany brinca de lady executiva e a coloca dentro daquela mala.

A Sra. Hauser olhou para mim com uma cara engraçada e perguntou:

— Que mala, querida?

Então contei à Sra. Hauser tudo sobre a brincadeira de lady executiva. Como Brittany já estava zangada comigo — e eu estava fora de seu alcance —, achei que contar a verdade não faria diferença agora.

E talvez mantivesse Lady Serena em segurança no futuro.

A Sra. Hauser ficou muito quieta quando ouviu sobre o jogo que sua filha secretamente gostava de brincar com sua gata.

E quando ela entendeu que foi por esta razão que, acidentalmente, eu havia deixado Lady Serena sair da casa, ela disse, num tom de voz estranho:

— Entendo, agora. Bem. Obrigada, Allie. Muito obrigada por ser honesta comigo.

Então ela se virou e gritou *"BRITTANY!"*... no tom de voz mais assustador que eu já ouvira.

Fiquei feliz quando minha mãe entrou no carro, deu a partida e arrancou.

— O que foi tudo *aquilo*? — perguntou ela.

— Brittany Hauser gosta de colocar a gata da mãe dentro de uma mala e sacudi-la por aí — disse eu. — E apenas contei isso a ela.

Minha mãe começou a rir, mas depois se controlou.

— Bem — disse ela. — Você está tendo um dia incrível, não está?

— O que quer dizer com isso? — perguntei. De uma hora para outra, minha cabeça ficou tão pesada que tive de apoiá-la no vidro fechado do carro. Felizmente eu havia sido a primeira a ser pega. Não sei se poderia suportar se Mark e Kevin estivessem no banco de trás, falando sobre caminhões, insetos, esportes e papel de parede de veludo.

— Quero dizer, você não só perdeu a gata da Sra. Hauser — continuou Mamãe —, mas talvez também queira explicar a pequena armadilha que fez com sua coleção de pedras lá em casa.

Despertei ao ouvir as palavras "armadilha" e "coleção de pedras".

— Por quê? — perguntei. — Funcionou?

— Se você quer saber se toda a sua coleção de pedras deslizou do alto do seu armário para o chão do seu closet quando Nancy Klinghoffer abriu a porta hoje durante o open house, então sim, funcionou — disse Mamãe.

Oba! Minha armadilha tinha funcionado! Mal podia acreditar! Eu planejava aquilo tanto tempo! E funcionou perfeitamente! Não iríamos nos mudar! *Não iríamos nos mudar!*

— Espero que a Sra. Klinghoffer não tenha se machucado — disse eu, tentando esconder minha satisfação.

— Não — disse Mamãe. — Mas poderia ter se machucado. E teremos de limpar todo o carpete do seu quarto de novo. Está totalmente coberto de sujeira e pedacinhos de pedras.

— Geodes — corrigi. — Não são pedras. São geodes.

— Sinceramente, Allie — disse Mamãe —, eu não sei o que você estava tentando fazer.

— Você me pediu para tirar a minha coleção de pedras do chão — lembrei imediatamente. — Então eu a coloquei na prateleira do alto. Nossa, é uma pena que tenham deslizado. Acho que agora não poderemos nos mudar, já que ninguém vai querer comprar uma casa com um carpete tão sujo.

— Pelo contrário — disse Mamãe, sorrindo. — Já recebemos uma oferta, e a Sra. Klinghoffer está esperando outras duas. Há uma carência de casas nesta área, você sabe, e é por isso que estão frequentemente construindo nos arredores... as pessoas estão desesperadas para se mudarem para Walnut Knolls.

De repente meu estômago começou a doer de novo. Não conseguia acreditar! Meu plano! Meu belo plano para impedir que nos mudássemos! Ele tinha falhado! No final das contas, nós teríamos de nos mudar para a casa horrível com a mão de zumbi no sótão!

Por que as pessoas queriam se mudar para Walnut Knolls, afinal? Eles simplesmente teriam de mandar os filhos para a escola com pessoas como Brittany Hauser. Não sabiam que tipo de dano isso poderia causar numa criança?

Acho que minha mãe percebeu como eu estava me sentindo, pois disse:

— Allie, sei que você não gostou muito da Pine Heights Elementary... ou pelo menos é o que você diz. E sei que você não é uma grande fã da casa. Mas prometo que você vai se acostumar com as duas. Quem sabe pode até vir a gostar delas? Você não deu uma chance de verdade a nenhuma das duas. Sei que não parece muito boa agora, mas deixe que eu e papai trabalhemos na casa. Eu prometo a você: não vai ficar como está para sempre. Seu quarto, por exemplo, será adorável. Quando vir o assento de janela que Papai está construindo para você...

— Não é isso — falei. — É que...

— Estamos fazendo o melhor que podemos para que você fique na sala da Sra. Hunter. Sei o quanto gosta dela.

— Não é isso também — respondi.

— Bem, espero que não seja a coisa da mão de zumbi — disse Mamãe, com uma voz diferente. — Porque você já é bem grandinha para acreditar numa coisa ridícula como essa.

Mãos de zumbis não são ridículas! E mais, os primeiros que a mão de zumbi mata são sempre aqueles que não acreditam em mãos de zumbis!

— Mas, mamãe — disse eu. — Você não pode *ver* a mão do zumbi. Não até que ela queira ser vista. E aí já é tarde demais.

— Eu vou matar o seu tio Jay — disse Mamãe. — E nem vou precisar de mãos de zumbis para fazer isso. Allie, não há nada errado com o sótão daquela casa. Você está me ouvindo? Da próxima vez que estivermos lá, vou mostrar para você. E não quero mais nenhum truque como o que você armou hoje com as pedras. Entendeu? A Sra. Klinghoffer quase deu um jeito nas costas pegando todas aquelas geodes. Acima de tudo, não quero pagar as contas dela com o quiroprático.

Ouvir que a Sra. Klinghoffer teve de pegar todas aquelas pedras me alegrou. Mas só um pouquinho. Lady Serena Archibald ainda estava desaparecida.

E ainda teríamos de nos mudar.

Mas o pensamento de todas aquelas geodes deslizando quando a Sra. Klinghoffer abriu a porta do meu closet me fez rir. Um pouquinho.

Mesmo sabendo que teria de me desculpar depois.

Porque, é claro, essa é uma lei.

Lei nº 10

Se conseguir uma nova melhor amiga, é grosseria se vangloriar por isso

Lady Serena Archibald voltou para casa na manhã de segunda-feira.

Mas eu não fiquei sabendo porque Brittany me contou. Descobri porque Courtney Wilcox me contou.

E ela só me contou porque divide a carona para o colégio com Brittany e viu a coisa toda.

Mas Brittany disse para ela não me contar. Só que Courtney estava zangada com Brittany, porque ela disse que não era mais a sua melhor amiga. Mary Kay é a nova melhor amiga de Brittany. Agora, Courtney é a segunda melhor amiga de Brittany.

Acho que toda a coisa com o brownie deve ter sido um sinal de que isso estava para acontecer, mas nenhuma de nós entendeu assim.

— A verdade — disse Courtney — é que o único motivo para Brittany dar aquele brownie a Mary Kay foi porque ela estava planejando desde o começo fazer da Mary Kay a sua melhor amiga. A sua dança foi realmente a melhor. Mesmo que cantando você não tenha sido tão boa.

Agradeci, apesar de não saber se o que Courtney havia dito era um elogio. Agradeci porque essa é a coisa educada a fazer quando alguém elogia você. Mesmo que você não esteja certa sobre o elogio.

Essa é uma lei.

É claro, nem Brittany nem Mary Kay estavam falando comigo — Brittany porque eu tinha contado à mãe dela sobre a brincadeira com a mala e a Sra. Hauser tinha confiscado o seu aparelho de *karaoke* e também os privilégios da televisão, e Mary Kay porque... bem, porque no dia do aniversário dela eu havia dito a Scott Stamphley que estava de mudança, quando havia prometido que não faria isso.

— E Lady Serena Archibald está bem? — perguntei a Courtney.

— Ah, sim — disse Courtney. — Quero dizer, o pelo dela está todo embaraçado e sujo porque ela esteve no mato, e ela está com uns carrapichos. Mas ela estava sentada na porta da entrada esta manhã quando a Sra. Hauser saiu para buscar o jornal, e estava bem... morrendo de fome, mas bem. A Sra. Hauser vai levá-la ao pet shop para tirar os carrapichos e disse que ela vai ficar linda como antes.

Fiquei muito aliviada ao ouvir aquilo. Nem mesmo liguei para o resto — quero dizer, para o fato de Brittany e Mary Kay não estarem falando comigo. A verdade era que, depois do que tinha acontecido na casa dos Hauser, eu não queria mais ser amiga delas mesmo.

— Serei a sua melhor amiga se você quiser, Allie — disse Courtney. — Até você se mudar, de qualquer forma.

— Hum — falei. — Tudo bem. — Porque é grosseiro dizer não a alguém que pergunta se você quer ser sua melhor amiga.

Ainda mais grosseiro é fazer o que Mary Kay e Brittany fizeram naquele dia, mais tarde. Elas foram até a sala de artes, onde eu estava tentando inocentemente fazer o esboço de Marvin implorando por um osso na minha tela de linóleo, e disseram:

— Que cheiro é esse?

— Hummm — disse Brittany. — Acho que é Allie Fedida Finkle, porque ela *fede*... como um rato!

Tenho de admitir que aquilo realmente me magoou. Mas eu não ia chorar nem nada disso. Pelo menos, não na frente delas. Porque chorar quando alguém está tentando insultar você apenas dá a eles o que eles querem. Assim eles saem ganhando, porque sabem que deixaram você triste. Então você precisa fingir que não liga. Aí você vence.

Essa é uma lei.

Em vez disso, continuei trabalhando no meu projeto de artes e, com muita calma, como se o que elas haviam dito não tivesse de forma alguma me chateado, falei:

— Uau. Isso é muito maduro, meninas.

— Ah, é mesmo — disse Brittany. — Como se *você* fosse muito madura! Não acredito que contou à minha mãe sobre a lady executiva!

— Não acredito que você botou um gato inocente numa mala — disparei de volta.

— Não acredito que você tem um caderno de *leis* — disse Brittany.

Fiquei tão chocada por ela ter dito isso que esqueci tudo sobre fingir não ligar. Na verdade, quase pressionei a serra tico-tico contra o meu polegar.

— O *que* você disse? — perguntei.

— Isso mesmo — disse Brittany, com um sorriso que posso classificar apenas como maldoso. — Sei tudo sobre o quanto você é esquisitona, Allie; esquisita a ponto de precisar anotar leis para se lembrar de como deve se comportar. Isso é realmente ridículo. Sabe, quase sinto pena de você.

Lancei um olhar magoado para Mary Kay, que estava em pé ao lado de Brittany. Pelo menos, Mary Kay pareceu meio que desconfortável... se o modo como estava olhando fixamente para seus sapatos fosse um indicativo, quero dizer.

— Você *contou* para ela? — resmunguei. — Sobre o meu livro de leis?

Mary Kay esfregou o nariz com o ombro, evitando olhar para mim. Antes que ela tivesse chance de dizer alguma coisa, Brittany disse:

— É *claro* que ela me contou sobre o seu livro de leis idiota. *Nunca comer nada vermelho*? Por favor. Quem você pensa que é, aliás? Membro da polícia alimentar? Sabe o que eu acho que você deve incluir nesse seu livro, Allie Fedida? A lei sobre não ser um *rato*. Estou muito feliz por você estar se mudando; assim não vai continuar a empestear nossa sala com seu terrível fedor de rato! Não está feliz por ela se mudar, Mary Kay?

— Ah, sim — disse Mary Kay, animando-se de repente. — Estou muito feliz por *você* ser a minha melhor amiga agora, Brittany.

— Eu também — disse Brittany, jogando um braço ao redor do pescoço de Mary Kay.

Foi nesse momento que percebi que outras pessoas estavam ouvindo a nossa conversa e achando tudo muito interessante. Por "outras pessoas" quero dizer outras pessoas na mesa onde eu estava sentada, pessoas que estavam apenas na etapa de cortar do projeto de xilografia.

Uma delas, infelizmente, era Scott Stamphley.

— Você tem um livro de leis? — perguntou ele.

— Cale a boca — respondi. Porque talvez eu tivesse de aturar Brittany e Mary Kay. Mas realmente não tenho de aturar Scott.

— Existem regras sobre mim? — quis saber Scott.

— Sim — falei. — Que dizem para ficar o mais longe possível de você.

— E isso? — perguntou Scott. — Existe uma lei para isso?

E soltou um arroto bem alto.

— ECA! — gritaram Brittany e Mary Kay... que, claro, é a reação exata que meninos como Scott Stamphley *esperam* provocar quando fazem uma coisa como essa. Porque Brittany e Mary Kay não conhecem a lei sobre ignorar as pessoas.

— Não — falei. — Mas existe uma lei contra isso.

Então arrotei ainda mais alto que ele.

Isso fez Brittany e Mary Kay darem um gritinho novamente — e também fez com que todas as pessoas da minha mesa, incluindo Scott Stamphley, gemessem com repugnância.

Foi quando a Srta. Myers apareceu para ver o que estava acontecendo.

— Com licença, meninas — disse a Srta. Myers para Brittany e Mary Kay, que eram as únicas que não estavam em suas próprias mesas. — Algum problema por aqui?

— Ah, nenhum problema, Srta. Myers — disse Brittany, num tom de voz doce e amável que ela só usa quando há adultos por perto. — Só estávamos dizendo a Allie o quanto vamos sentir sua falta quando ela se mudar.

— Bem, isso é muito legal da parte de vocês — disse a Srta. Myers. — Mas acho que devem voltar para os seus lugares agora.

— É claro, Srta. Myers — disse Brittany.

E as duas saíram agitadas, soltando frases como "Eca, ela é tão *nojenta*" e "Eu te disse! Ela é praticamente um *garoto*!"

A Srta. Myers olhou na minha direção, enquanto eu segurava a minha tela de linóleo, e perguntou:

— Allie? Você está bem?

Eu devia estar parecendo que ia começar a chorar ou algo assim. Realmente sentia um pouco de vontade de chorar.

— Ah, sim — disse eu, tentando sorrir. — Estou bem, obrigada.

— Sua tela está adorável — disse a Srta. Myers sobre a minha tela de linóleo. — Este é Marvin?

— Sim — respondi. Podia sentir as lágrimas nadando dentro dos meus olhos, lutando para sair. Mas eu estava lutando com a mesma força para segurá-las. "Praticamente um menino?" Como elas podiam dizer aquilo? Elas tinham me visto fazendo *grand jetés*. Nenhum garoto poderia fazer aquilo. Pelo menos, não na nossa sala.

— Bem, continue assim — disse a Srta. Myers, uma mecha dos seus longos cabelos tocando de leve a minha mão. Então ela seguiu para ver o que Scott Stamphley estava fazendo (uma cobra coral devorando uma cobra menor, devorando uma cobra menor e ao mesmo tempo quase sendo atropelada por um Corvette, o carro favorito de Scott).

Lá do outro lado da sala, eu podia ver Brittany e Mary Kay dando risadas juntas. Também podia ver Courtney Wilcox olhando com inveja, querendo estar lá e gargalhar com elas.

Provavelmente elas, estavam rindo do meu livro de leis. Era realmente tão esquisito ter um livro de leis? Leis são importantes. Se não fossem as leis, ninguém saberia como agir.

E então o mundo seria cheio de Brittanys Hauser. E quem ia querer algo *assim*?

Eu não ia desistir de escrever no meu livro de leis só porque Brittany e Mary Kay achavam que era esquisito. Eu ia continuar escrevendo.

Talvez só não contasse a mais ninguém sobre ele. Como para a minha nova melhor amiga, quem quer que ela fosse. Às vezes é melhor apenas guardar as coisas para si.

Essa é uma lei.

Lei nº 11

Quando você finalmente descobre qual é a coisa certa a fazer, precisa fazê-la, mesmo que não queira

Naquela noite, depois do colégio, Mamãe e Papai disseram que a Sra. Klinghoffer havia ligado e dito que vendera a nossa casa por um preço maior que o pedido.

Então estava acabada. Minha guerra contra a mudança, quero dizer. Eu havia perdido.

Eles tinham vencido.

Nossa antiga casa não nos pertence mais. Pertence a outras pessoas. Pessoas que eu nem mesmo havia conhecido.

Meu antigo quarto também não me pertence mais. Na verdade, não deveria chamá-lo de "meu quarto". Tecnicamente, é o novo quarto de outra pessoa.

Assim como outra pessoa é a nova melhor amiga de Mary Kay.

Para celebrar a venda da nossa antiga casa — como se isso fosse algo a ser celebrado —, Mamãe e Papai nos levaram ao Lung Chung, o restaurante mais chique da nossa cidade, mesmo que raramente a gente saia para comer fora, porque quando saímos, normalmente nos comportamos muito mal. Por "nós" quero dizer Mark e Kevin. Da última vez que fomos ao Waffle House, quando Mamãe e Papai não estavam olhando, o tempo todo eles mexiam na máquina de chiclete que ficava na entrada, derramando o conteúdo dos sachês de açúcar da mesa no lugar onde a moeda deveria ser colocada para entupi-lo.

E é preciso muito açúcar para isso.

Depois disso, o gerente do Waffle House pediu que nunca mais fôssemos lanchar lá.

No caminho para o Lung Chung, Papai conversou com Mark e Kevin.

— Se fizerem qualquer coisa no Lung Chung que deixe sua mãe envergonhada, nunca mais levaremos vocês para comer fora, e terão de ficar em casa com um dos meus alunos da graduação enquanto Allie, sua mãe e eu saímos — disse ele.

Percebi o quanto isso realmente assustou Mark e Kevin. Porque os alunos do Papai não são babás divertidas como o tio Jay, que fica com a gente às vezes quando Mamãe e Papai saem. Os alunos do Papai só entendem de computadores, de modo que não sabem como fazer coisas divertidas como sopa de brownie de microondas ou escorregar pela escada no colchão. Eles só sabem escrever longos programas de computador, que é o que fazem enquanto tomam conta de nós. Nós devemos Nos Divertir e Não Matar Um Ao Outro enquanto os alunos dele trabalham. É *muito* chato.

Mark e Kevin prometeram se comportar.

Percebi que Papai não fez com que eu prometesse me comportar. Mas isso porque ele sabia que Mamãe estava usando a promessa do gatinho para eu ficar comportada. Se não me comportasse, simplesmente não ganharia o gatinho.

Esse foi um erro da parte de Papai, se você quer saber.

Quando chegamos ao restaurante, verifiquei o lago de plástico para ver se a tartaruga para a sopa de tartaruga ainda estava lá. Estava; pousada sobre sua pequena ilha, parecendo triste e solitária. Fiquei aliviada ao saber que ninguém na nossa cidade tinha pedido sopa de tartaruga.

Mas nunca se sabe. Talvez alguém fosse pedir sopa de tartaruga hoje à noite. A pobre tartaruga não tinha ideia de que esta poderia ser a última noite de sua vida na Terra.

Provavelmente, essa era a coisa mais triste que eu já havia visto.

Tio Jay nos encontrou no restaurante. Quando chegou à nossa mesa, disse "Parabéns!" para minha mãe e para meu pai e os abraçou. Fez uma saudação para Mark e Kevin. Tentou fazer uma para mim também, mas eu disse a ele que não estava de muito bom humor.

— O que há com Allie? — quis saber tio Jay enquanto retirava o cachecol e se sentava.

— Allie não está tão entusiasmada com a mudança como alguns de nós — disse Mamãe.

— Essa é a meia-verdade do ano — grunhi.

— Por que não quer se mudar, Allie? — perguntou tio Jay. — Mudar é muito legal! Você vai começar uma vida nova em um lugar totalmente novo! Você poderia mudar sua personalidade... diabos, poderia mudar até seu nome, se quisesse. Quem não gostaria disso?

— Estou totalmente feliz com minha vida antiga — expliquei. — No lugar antigo.

O que não era exatamente verdade, considerando o que havia acontecido naquela tarde na sala de artes — você sabe, perder minha melhor amiga e a bobagem sobre o meu livro de leis ter sido brutalmente revelado para todos do quarto ano.

Mas não via motivo para dividir isso com tio Jay.

— Alguém — continuou Mamãe — deixou Allie assistir a um certo filme que mostrava uma certa mão de um certo zumbi. E desde então seu interesse em morar em uma certa casa vitoriana tem diminuído.

— Ah — disse tio Jay.

— É — disse Mamãe. — Obrigada por isso, a propósito.

— Allie — disse tio Jay. — Você sabe que aquele filme sobre a mão do zumbi é inventado, certo?

— Dã — disse eu.

— Allie — disse Papai. — Não diga dã.

— Desculpe — falei.

— Bem, então, qual o problema, Allie? — perguntou tio Jay.

Só que eu não podia contar ao tio Jay qual era o problema. Porque o problema parecia grande demais para ser discutido durante o jantar.

Além disso, naquele momento a garçonete chegara à nossa mesa com o porco agridoce.

Mas eu não conseguia comer o meu. Simplesmente estava muito triste. Não conseguia parar de pensar em como a nossa linda casa pertencia a outra pessoa agora.

E não conseguia parar de pensar em como Brittany e Mary Kay tinham me ridicularizado por ter um livro de leis.

E não conseguia parar de pensar em como aquela tartaruga não tinha ideia que a qualquer momento ele — ou ela — mas parecia um ele — poderia virar sopa. Toda vez que alguém entrava no restaurante, eu ficava imaginando se essa era a pessoa que pediria sopa de tartaruga e a comeria.

De certa forma, me sentia como se soubesse como era ser aquela tartaruga. Não que alguém fosse me devorar. Quero dizer, ainda não.

Mas, como a tartaruga, eu não tinha nada a dizer sobre o que estava acontecendo comigo. Quero dizer, aquela tartaruga não tinha escolha entre viver em um lago falso de um restaurante, aguardando ser comida, ou viver em um parque do outro lado da rua, onde havia um lago *de verdade*, no qual outras tartarugas viviam.

Como eu. Quero dizer, claro, as coisas não estavam dando muito certo na minha escola antiga neste momento. Mas eu não deveria poder *escolher* se queria ou não ir para aquela escola nova? Não era justo que ninguém nem ao menos me deixasse ter uma *opinião* sobre isso.

Como a tartaruga.

Foi nesse exato momento que eu soube o que devia fazer. Não queria, mas, sinceramente, que escolha eu tinha?

Quando você finalmente descobre qual é a coisa certa a fazer, precisa fazê-la, mesmo que não queira.

Essa é uma lei.

— Com licença — falei, interrompendo a história de tio Jay sobre sua nova namorada, Harmony, a quem ele queria que todos conhecessem o quanto antes, porque, além de ser uma aluna condecorada de sua aula de jornalismo e que frequentemente tinha suas histórias publicadas, ela era uma excelente cozinheira e massagista de pés. — Preciso ir ao banheiro.

— Bem, querida — disse Mamãe —, você sabe onde fica. Não precisa avisar. Apenas vá.

Coloquei meu guardanapo ao lado do prato quase intocado de porco agridoce (que tem uma cor meio avermelhada, mas na verdade é laranja-rosado, de modo que posso comer) e fui ao banheiro.

Depois que terminei e lavei as mãos, abri uma fresta da porta e espiei lá fora. O banheiro feminino ficava transversal ao lago de plástico, que ficava exatamente do outro lado da recepção. Enquanto eu olhava, algumas pessoas entraram no restaurante e a recepcionista, em seu vestido chinês brilhante, pegou alguns cardápios e os conduziu até a mesa, todos sorridentes e felizes.

Minha chance era agora! Ninguém estava olhado.

Disparei do banheiro feminino o mais rápido que pude e segui para o lago de plástico.

Quase consegui! Tudo que precisava fazer era colocar a mão lá dentro, pegar a tartaruga e depois correr para a rua e deixar que ela fugisse!

Então a tartaruga do Lung Chung estaria livre!

E assim, de certa forma, eu também estaria.

Mas assim que peguei a tartaruga pelos lados do casco escorregadio e duro, ouvi passos. Alguém estava se aproximando!

Segurando a respiração, levantei a tartaruga. Era mais pesado do que eu havia imaginado.

Mais fedido também.

Foi quando percebi que ele era uma tartaruga mordedora. Não sabia que faziam sopa com tartarugas *mordedoras*. Só percebi isso quando a tartaruga virou a cabeça para trás e, se perguntando o que estava acontecendo, preguiçosamente bateu os dentes na minha direção.

Não pude acreditar. Ali estava eu, tentando salvar sua vida, e a tartaruga do Lung Chung tentando me morder! Não que ele realmente tivesse esta intenção — acho que ele havia estado perto dos garçons e garçonetes do Lung Chung por tanto tempo que era praticamente adestrado.

Ainda assim. Obrigada mesmo, tartaruga.

Tentando manter a tartaruga o mais longe possível do meu corpo, para que seus dentes — tartarugas têm mesmo dentes, aliás? Se me tornasse veterinária, ia ter de aprender essas coisas — não pudessem se cravar em mim, corri para a porta da frente do restaurante.

Mas era tarde demais! Porque ouvi alguém chamar o meu nome e me virei a tempo de ver tio Jay fazendo a curva a caminho do banheiro masculino. Quando ele viu o que eu tinha nas mãos, fez uma cara muito surpresa.

— Allie? — disse ele. — O que diabos você está fazendo com a tartaruga do Lung Chung?

— Estou libertando esta tartaruga — falei. — Não conte para ninguém!

— Mas... — começou a dizer tio Jay.

E foi quando a vi: a recepcionista, vindo por trás do tio Jay. Ela estava sorrindo, toda simpática...

Até que me viu.

E o que eu estava fazendo.

Então seu sorriso desapareceu. E ela gritou:

— Garotinha! Aonde você pensa que vai com essa tartaruga?

Foi quando passei pela porta da frente do restaurante com todas as minhas forças.

LEI nº 12

Quando você estiver libertando uma tartaruga e as pessoas estiverem perseguindo você, a melhor coisa a fazer é se esconder

Eu sabia que a recepcionista não iria me pegar, pois ela estava usando saltos altos e um vestido. Além disso, o vestido era muito apertado.

Então imaginei que ela não poderia correr até muito longe.

Ainda assim, sabia que ela provavelmente iria chamar o meu pai. E meu pai pode correr muito. Ele joga basquete todos os sábados na associação.

Por isso, eu sabia que a melhor coisa a fazer era me esconder.

E, por brincar de esconde-esconde com os meus irmãos, sabia que o melhor lugar para se esconder era o mais óbvio — o único lugar que ninguém nem sequer pensaria em olhar. Se você estivesse correndo pela cidade com uma tartaruga, onde a maioria das pessoas procuraria por você? No parque, certo?

Perto do lago. Porque esse é o lugar para o qual você provavelmente levaria uma tartaruga para libertá-la.

Por isso não fui para lá.

Em vez disso, decidi esperar dentro do carro do tio Jay até que todos saíssem. Ele nunca o tranca (diz que não tem nada nele que valha a pena ser roubado). E ainda estava parado bem em frente ao restaurante. Então foi bem fácil simplesmente me jogar lá dentro.

Estava sentada no chão com todos os CDs dele, escutando todo mundo gritando por mim do lado de fora, quando ouvi a porta do motorista se abrir e tio Jay se sentar no banco do motorista.

— Allie? — sussurrou ele, como se soubesse o tempo todo que eu estava lá. O que provavelmente era verdade. Tio Jay e eu nos damos muito bem; ele diz que é porque ambos somos pensadores independentes.

— Não conte para eles que estou aqui — sussurrei.

Tio Jay olhou para baixo e me viu. A tartaruga ainda estava mordendo o ar e meio que fazendo movimentos de nadar com as patas. Era possível ouvir seus movimentos, mesmo que eu estivesse sendo extraordinariamente silenciosa.

— Não vou contar — disse tio Jay, com algo que parecia um sorriso. — Mas você vai ter de sair em algum momento.

— Não vou devolver a tartaruga para eles — falei. — Eles vão fazer uma sopa dela.

— Do quê você está falando?

— Você sabe — disse eu. — Está escrito no cardápio. O fato de ninguém ainda ter pedido sopa de tartaruga não significa que ninguém jamais vá pedir.

Parecia que tio Jay ia começar a rir. Em vez disso, ele falou:

— Certo. Isso é verdade mesmo.

— Não é justo — falei. — Esta tartaruga deveria ser ouvida sobre o que acontece com ela. Deveria poder ser livre. Vou soltá-la no parque, onde poderá ficar com os outros de sua espécie.

— Bem — disse tio Jay —, é uma boa ideia. Mas, você sabe, essa tartaruga viveu em cativeiro a vida toda. Duvido que saiba procurar sua própria comida. E está começando a ficar muito frio aqui fora. Logo será inverno. Ela pode morrer de fome. Ou congelar até a morte.

Eu não tinha pensado nisso. De repente, percebi que meu plano de libertar a tartaruga do Lung Chung no parque poderia não ser um plano tão bom, afinal de contas.

Na verdade, eu não tinha pensado muito sobre tudo aquilo. Realmente tinha sido um plano meio espontâneo-e-improvisado.

Mas mesmo assim.

— Mas se devolvê-lo — falei —, ele será devorado! Não suporto pensar nele aqui, sabendo que a qualquer momento alguém pode chegar e simplesmente... pedir que ele seja servido paro o jantar.

Do lado de fora do carro, ouvi meu pai gritar:

— Jay! O que você está fazendo? Vai nos ajudar a procurar por ela ou o quê?

Tio Jay gritou de volta:

— Só estou pegando minhas luvas.

E depois disse para mim:

— Certo, Allie. Vamos fazer um acordo.

— Que tipo de acordo? — perguntei. Detesto admitir, mas eu estava chorando um pouquinho. Principalmente porque a tartaruga realmente fedia, e isso fazia com que os meus olhos lacrimejassem.

Mas também porque eu sabia que estava encrencada.

E odiava estar encrencada. O que eu sabia que era surpreendente, considerando o número de encrencas em que eu havia me metido recentemente.

Mesmo assim.

— Achei que já tivéssemos um acordo — falei. — Sobre o que realmente aconteceu com o relógio de mergulho. Eu nunca contei, você sabe.

— Esse acordo é diferente — disse tio Jay rapidamente. — A verdade é que eu não deveria ter deixado você assistir àquele filme com a mão do zumbi. Por isso, eu meio que lhe devo uma. Então o novo acordo é: eu fico com a tartaruga. Você pode deixá-la aqui no carro, e vou levá-la comigo para o meu apartamento esta noite. Não vamos contar a ninguém. Será o nosso segredo. Em troca, você vai parar de dar tanto trabalho aos seus pais por causa da mudança e fingir que está gostando da coisa toda. Às vezes a gente finge que está bem em relação às coisas e realmente começa a se sentir bem. Então... nunca se sabe. Talvez você realmente comece a se sentir bem com a mudança. O que acha disso?

Mordi o lábio. Era uma excelente ideia a tartaruga viver com o tio Jay. Ele não tinha animais de estimação e, de qualquer forma, seu apartamento era muito bagunçado. Então não era como se ele fosse ao menos notar que a tartaruga estava lá.

E eu não teria de me preocupar com ninguém a devorando. Seria menos um problema, de muitos, na minha cabeça.

No entanto, eu não estava muito certa sobre a coisa de fingir gostar da casa nova.

— E o que aquele garoto disse? — perguntei.

— Que garoto? — perguntou tio Jay. Do outro lado da rua, no parque, podia ouvir meu pai chamando o meu nome: "Allie! Allie, onde está você? Venha aqui agora mesmo, Allie. Isso não é engraçado."

— O garoto que mora na casa ao lado — contei. — Da casa nova. Ele disse que as pessoas que moravam lá fizeram alguma maldade no sótão.

— Usarei todas as minhas habilidades investigativas para determinar se isso é verdade ou não — disse tio Jay. — Mas acho que de repente esse cara estava provocando você. Além do mais, na verdade, sou bastante sensível a fenômenos psíquicos e senti apenas as mais harmônicas vibrações quando estive na sua casa nova.

Não entendi como o tio Jay podia dizer isso, considerando as paredes cinzentas, o chão de madeira e tudo o mais.

Mas estava disposta a deixar isso de lado, já que ele estava sendo tão legal com a tartaruga.

— Então, o que me diz? — perguntou ele. — Você vai voltar para o jantar?

Na verdade, eu não tinha muita escolha. Não podia ficar sentada no carro do tio Jay, segurando a tartaruga do Lung Chung, pelo resto da noite.

Então concordei.

Tio Jay saiu do carro e fingiu ir me procurar no parque junto com meu pai, de modo que não ia parecer suspeito quando eu aparecesse bem depois dele. Contei até vinte e botei a tartaruga no chão do carro do tio Jay. Ela parou de ficar mordendo na minha direção e meio que olhou ao redor, tipo: *Onde estou? O que está acontecendo?*

— Você vai para um lugar melhor — disse-lhe eu. — Um lugar onde ninguém vai pedir que você seja servido no jantar. Prometo. — Então eu lhe disse que iria visitá-lo muito em breve.

Depois saí do carro e voltei para dentro do restaurante.

Todos estavam *realmente* zangados comigo. Todos menos Mamãe. Ela ficou feliz ao me ver.

No início.

Depois, ela ficou zangada.

— Nunca mais faça nada assim novamente, mocinha — disse ela quando terminou de me abraçar. — Imagina como fiquei assustada? Seu pai e tio Jay ainda estão lá fora procurando por você!

— É — disse Mark. — E todo mundo do restaurante está furioso com você por ter roubado a tartaruga deles. Disseram que temos de pagar por ela. E nem pudemos comê-la!

— Não importa — disse Mamãe, entregando o cartão de crédito à garçonete, que me olhava com reprovação. Eu não estava apenas imaginando aquilo também. Ela *realmente* estava me olhando com reprovação. — Vamos apenas pagar a nossa conta. Preciso dizer, Allie, podia esperar um comportamento assim dos seus irmãos, mas nunca de você! O que deu em você, pelo amor de Deus?

— Só não consigo suportar a ideia de alguém comendo aquela tartaruga — falei.

— Comendo aquela...? — Mamãe olhou para mim de uma forma estranha. — Ah, *Allie*! Ninguém...

— Viu? — disse tio Jay quando ele e Papai chegaram de repente. — Ela está bem aqui, sã e salva. Eu falei.

— Allie. — Meu pai parecia furioso. — Aí está você. Estávamos procurando por toda parte. Onde está a tartaruga?

— Não importa — disse Mamãe, levantando-se. — Venham. Vamos embora.

— Como assim não importa? — perguntou Papai. — Allie, responda. O que você fez com a tartaruga?

Mas eu não ia contar. Mesmo quando o gerente do restaurante veio e me implorou e depois disse que eu era uma garotinha muito malvada e que ficaria muito encrencada e que tinha sorte por eles não terem chamado a polícia. Foi quando Papai interferiu e disse:

— Olhe, pagamos pela tartaruga. Pare com isso, você está deixando minha filha assustada, OK?

Mas o gerente do restaurante não estava me assustando nem um pouco. Eu só estava pensando em como seria engraçado da próxima vez que Papai fosse ao apartamento do tio Jay para assistir a um jogo e visse a tartaruga lá. Será que ele perceberia que era a mesma?

— Vamos — disse Mamãe depois de assinar o recibo. — Tivemos comemoração suficiente para uma noite. Vamos para casa.

E foi o que fizemos.

Mas não antes de Mark e Kevin enfiarem um *hashi* no compartimento por onde saía o troco do telefone público, do lado de fora do banheiro masculino, para que nunca mais ninguém recebesse troco novamente. Eu os saudei no carro.

Mas sem que Mamãe e Papai vissem.

LEI nº 13

Não pode levar suas pedras com você

Posso não ser a melhor pessoa no mundo em manter promessas. Sei que não fiz um bom trabalho em manter a minha promessa de não dizer a ninguém que estava me mudando no aniversário de Mary Kay.

Mas mantive minha promessa com tio Jay.

Desde a noite do roubo da tartaruga do Lung Chung, fingi que estava feliz com a mudança. Não reclamei mais das paredes cinzentas e feias da nossa casa nova. Não falei sequer UMA VEZ sobre como o piso rangia. Parei de falar sobre a mão do zumbi. Fingi que estava feliz em me mudaı da casa antiga para a nova. Parecia querer começar do zero na nova escola.

E quer saber? Tio Jay acabou tendo razão. Pelo menos um pouquinho.

Depois que começa a fingir que está se sentindo de um jeito, você meio que começa a se sentir daquele jeito. Tipo, assim que comecei a fingir que estava feliz em me mudar, meio que não me senti mais tão mal sobre isso.

Acho que não era *tão* difícil assim, considerando que todo mundo da minha antiga escola me odiava. Bem, todo mundo menos Courtney Wilcox.

E já que estávamos de mudança e encaixotando tudo, nossa antiga casa já não era assim tão legal para se viver, no final das contas. Para todos os lugares que se olhava, eram só caixas, caixas, caixas! Quem quer viver numa casa cheia de caixas?

Para completar, meu pai desmontou minha cama de dossel e todas as minhas prateleiras para arrumá-las outra vez no meu novo quarto, no qual mamãe estava fazendo uma reforma secreta. Como eu não tinha escolhido papel de parede e carpete novos, ela havia decidido escolher algo para mim. Ela disse que meu novo quarto seria uma surpresa.

Fingi estar feliz com isso também. Tio Jay acabou se mostrando um bom conselheiro. Era incrível como o fato de eu fingir que estava feliz deixava Mamãe feliz também.

Pelo menos até uma semana antes do dia da mudança. Foi quando Mamãe percebeu que a minha coleção de pedras ainda estava no meu quarto, dentro das dez sacolas de supermercado nas quais eu as guardava. Foi então que ela me lembrou que eu não poderia levar minhas pedras para a casa nova e que, exceto por três ou quatro das minhas favoritas, teria de me livrar delas.

— Não são pedras — disse eu. — São *geodes*. E vou vendê-las no eBay e comprar um telefone celular.

— O que quer que sejam — disse ela —, você não pode levar todas para a nova casa. E não dá tempo de vendê-las no eBay; e você não pode ter um celular. Precisa se livrar delas *agora*, Allie.

De modo que foi por isso que eu estava do lado de fora da casa, arrastando uma sacola cheia de geodes depois da outra para jogá-las no grande buraco do terreno em construção que ficava logo atrás da nossa casa quando tio Jay apontou na rua. Em seguida, ele e uma moça bonita, com longos cabelos negros, desceram do carro.

— Oi. — A moça bonita veio ver o que eu estava fazendo depois que o tio Jay também disse "oi" e entrou na casa. Ele tinha vindo ajudar meu pai a desmontar o beliche dos meus irmãos. Em troca, meus pais iam comprar uma pizza para ele e Harmony no jantar (eu ia comer *grissinis* de queijo). — Você deve ser Allie. Sou Harmony.

— Oi, Harmony — respondi. Harmony parecia muito limpa e bonita, e torci para que ela não ficasse chateada por eu estar tão suja. Devolver as geodes para o terreno em construção onde elas haviam sido encontradas revelou-se um trabalho bem sujo.

— Eu estava torcendo para conseguir conversar com você — disse Harmony. — Jay me contou o que você fez no restaurante chinês na outra noite... como resgatou a tartaruga dele, Wang Ba. Estive pensando: teria algum problema se eu a entrevistasse sobre isso para o meu workshop de redação e reportagem? Achei incrível o que você fez, e isso renderia uma história muito boa para a minha turma.

Dei de ombros.

— Claro — respondi. — Acho que tudo bem.

— Ótimo — disse Harmony. Para minha surpresa, ela tirou um pequeno gravador do bolso. Então ela o ligou e disse: — Então me conte, Allie, com suas próprias palavras. Por que roubou aquela tartaruga do restaurante chinês Lung Chung, no centro?

Contar para Harmony toda a história sobre por que eu tinha roubado a tartaruga foi bem cansativo. Principalmente porque, durante todo o tempo em que estava contando, precisei continuar esvaziando minhas sacolas de pedras no buraco da construção.

Depois Harmony quis saber por que eu estava fazendo aquilo.

Então tive de explicar sobre as minhas geodes e como minha mãe não me deixaria levar toda a minha coleção para a casa nova ou vendê-la no eBay. Mostrei algumas das minhas melhores geodes para Harmony e, como ela gostou do quanto eram brilhantes, disse que ela poderia ficar com uma delas.

Mas ela disse que infelizmente não caberia dentro da sua bolsa.

Foi estranho, mas durante todo o tempo em que Harmony estava me entrevistando, não pude deixar de perceber que Mary Kay Shiner e Brittany Hauser estavam rondando a minha casa. Não sei o que elas estavam fazendo. Elas não estavam correndo de bicicleta nem tentando fazer *fly balls*, não estavam pegando a bola de beisebol no ar nem fazendo nada divertido assim (Mary Kay sempre teve medo de tentar um *fly ball*). Elas estavam apenas indo e voltando. E toda vez que passavam na minha frente, começavam a cochichar e a dar risadinhas uma para a outra furiosamente, o que era de fato idiota e meio irritante. Tentei ignorá-las, mas num determinado momento elas começaram a gargalhar tanto que Harmony até olhou para elas e disse:

— Ei, elas são suas amigas? Talvez eu devesse entrevistá-las também. Você sabe, para ter uma perspectiva diferente da história.

— Não — disse eu rapidamente. — Acho melhor não. Elas eram minhas amigas, mas agora não são.

— É mesmo? — perguntou Harmony. — Por que não?

Então fui forçada a contar a ela sobre o incidente da gata na mala e sobre como Mary Kay e Brittany não eram mais minhas amigas. Mas pedi que essas coisas ficassem em off. Sabia o que isso significava graças a um filme que o tio Jay me deixou assistir com ele uma vez.

— Ah — disse Harmony. — Entendo. Você realmente deve amar os animais para pôr em risco uma amizade assim por causa de uma gata.

— É — falei. Não mencionei outras verdades, tipo como Britanny era uma arremessadora de tacos, que Mary Kay só chorava o tempo todo e que ser amiga delas tinha sido uma tarefa árdua desde o início. — Acho que sim.

Depois disso, todas as minhas sacolas de papel estavam vazias. Então dei meia-volta e fui para dentro de casa com Harmony para ver meu pai e tio Jay desmontarem o beliche, o que acabou sendo divertido, porque eles disseram um monte de palavrões quando cortaram os dedos nos parafusos, e Mamãe fez com que eles colocassem 25 centavos na jarra do palavrão a cada que vez que falavam um.

No fim da noite, tínhamos cinco dólares para investir na ida de Marvin ao salão de beleza de um pet shop para ser cuidado por um profissional.

Ele vai ficar incrível quando acabarem de arrumá-lo. Espero que coloquem um laço em sua franja, mesmo que ele seja um menino.

Mais tarde naquela noite, antes de dormir, fui lá fora para ficar ao lado do buraco e dizer adeus às minhas *geodes*, sem que ninguém me visse. Porque dizer adeus a algumas pedras é meio embaraçoso. Eu mal podia vê-las porque a lua estava começando a aparecer naquele momento.

Pensei que, talvez, quando a nova família que havia comprado a casa se mudasse, sua filhinha — se tivessem uma — viesse aqui fora um dia, encontrasse minha coleção de geodes e pensasse — como eu — que topou com um imenso tesouro, uma coleção de diamantes ou algo assim. Talvez ela pensasse — como eu pensei — que piratas tinham deixado aquilo ali. Talvez ela pensasse: "Estou rica!"

Talvez ela ficasse um pouco desapontada quando finalmente alguém lhe desse a notícia de que as pedras não eram realmente diamantes, mas *geodes*.

Mas talvez, com sorte, ela fosse o tipo de garota que pudesse apreciar a beleza de uma geode tanto quanto a de um diamante, mesmo que uma geode não valha dinheiro algum.

Pensar nisso — que talvez as minhas geodes fizessem uma outra garota tão feliz quanto me fizeram — me alegrou um pouco. E eu nem mesmo estava *tentando* me sentir feliz. Saber que alguém poderia amar minhas pedras tanto quanto eu as amava fez com que me desfazer delas fosse bem menos triste.

Então fui capaz de dizer adeus e voltar para dentro de casa, sentindo meu coração mais leve do que já estivera em um longo tempo.

LEI nº 14

As celebridades vivem sob leis diferentes das nossas

Uma semana depois, foi o meu último dia na escola antiga, e a turma do quarto ano da Srta. Myers estava fazendo uma festa de despedida para mim. Bem, mais ou menos isso. Eu estava fazendo a festa para mim mesma, na verdade. Mamãe levou bolinhos — baunilha com glacê de chocolate com granulados — da Kroger... não só para mim, mas para as colegas de turma de Mark e de Kevin também.

Então tive de ter uma festa, querendo ou não. O que, com a coisa toda de Mary Kay ainda me odiando e sendo a nova melhor amiga de Brittany Hauser, eu não queria mesmo. Mas não tive muita escolha.

Eu deveria saber que as coisas seriam esquisitas na festa de despedida, porque as coisas começaram a ficar esquisitas bem mais cedo naquele dia. Em primeiro lugar, quando saí de casa para ir ao colégio naquela manhã, Mary Kay estava esperando por mim.

Isso mesmo. *Mary Kay* tentou ir andando comigo até a escola. Ainda que eu tenha andado bem rápido e na frente dela, tive de ouvi-la se lamentando o caminho todo: "Qual é, Allie, não podemos ser amigas de novo?" Aquilo era tão *irritante*...

O fato é que se ela não tivesse esperado até a VÉSPERA da minha mudança, talvez eu pudesse ter desejado que fôssemos amigas outra vez.

Mas AGORA era um pouco tarde.

Imaginei que talvez ela estivesse agindo assim só porque era o meu último dia e tudo o mais, e que ela havia se sentido mal por ter sido tão perversa ao contar para todo mundo sobre o meu livro de leis etc.

Mas depois, quando cheguei à escola, Brittany Hauser começou a ser toda boazinha comigo também, dizendo que o meu cabelo estava bonito, perguntando se eu havia feito alguma coisa diferente com ele (me lembrei de escová-lo uma vez na vida) e se eu queria me sentar ao seu lado no almoço.

Disse não, é claro. Por que eu iria querer me sentar com aquela falsa?

Fiquei ainda *mais* desconfiada quando Brittany nem ao menos ficou zangada quando eu disse não para o seu convite-da-hora-do-almoço. Ela só falou.

— Certo, Allie, você manda. Então, quer ir até minha casa no fim de semana?

Eu disse:

— Não. Estou me mudando neste fim de semana

Ia acrescentar: "Além do mais, odeio você."

Mas é errado dizer que se odeia alguém. Essa é uma lei. Mesmo que esse alguém seja totalmente merecedor do ódio, como Brittany Hauser.

— Ah, é — disse Brittany, rindo por ter se esquecido. — Que idiota! Esqueci. Bem, numa outra oportunidade então.

— Brittany. — Não pude me controlar. *Precisava* descobrir o que estava acontecendo. — Por que você está me convidado para ir à sua casa? Não se lembra do que aconteceu da última vez?

— Ah, você está falando sobre Lady Serena Archibald? — Brittany riu um pouco mais. — Nada a ver. Já superei aquilo. Além do mais, nos divertimos, não foi?

Eu não havia me divertido. Nem mesmo sabia sobre o que ela estava falando. E Courtney também não sabia, quando perguntei a ela na hora do almoço.

— Talvez — sugeriu Courtney — seus corpos estejam sendo controlados por alienígenas.

Essa parecia a explicação mais plausível.

Não entendi o que REALMENTE estava acontecendo até o último tempo de aula, que era a hora da minha festa de despedida e a Srta Myers me chamou até a frente da sala e colocou o braço ao meu redor, dizendo diante de todos o quanto ia sentir minha falta.

Eu estava lá de pé com a Srta. Myers, que estava falando sobre o quanto eu havia acrescentado à quarta série e como sempre havia tirado boas notas em matemática e ciências e tal.

— E além de suas inúmeras conquistas acadêmicas... Scott Stamphley, se você acha que está engasgado com alguma coisa — A Srta. Myers disse isso porque Scott ficava dando pigarros a cada coisa legal que ela dizia sobre mim — e precisa ausentar-se, você sabe qual é o caminho do banheiro... Allie Finkle também provou ser uma defensora dos animais, salvando bravamente uma tartaruga da morte certa em uma panela de um restaurante popular da cidade... de acordo com o jornal desta manhã.

Foi quando a Srta. Myers puxou um exemplar do jornal local e mostrou para a turma — e para mim, porque eu não tinha visto (Mamãe e Papai cancelaram nossa assinatura porque nos mudaríamos no dia seguinte) — um grande artigo sobre o roubo da tartaruga do Lung Chung e como eu a havia escondido em um "lugar seguro"... pelo menos de acordo com a autora do artigo, Harmony Culpepper. Havia uma foto colorida minha parada ao lado do terreno em construção que ficava atrás da minha casa, usando minhas botas de caubói e esvaziando uma grande sacola de geodes em um enorme buraco mais abaixo. Meu cabelo parecia muito estranho, porque eu não o havia escovado, mas, ainda assim, dava para ver direitinho que era eu. Abaixo da foto estava escrito: ALLIE FINKLE: ATIVISTA-MIRIM PELOS DIREITOS DOS ANIMAIS.

Foi então que me lembrei de Harmony tirando uma foto minha com sua pequena câmera digital na tarde em que ela tinha me entrevistado para a turma de seu workshop. E dizendo também que, se seu professor gostasse do artigo, poderia mandá-lo para o jornal local para a sessão de colunas. Harmony havia dito que ele só fazia isso com artigos de que gostava muito mesmo.

O que significava que ele realmente havia gostado muito do seu artigo sobre Wang Ba e eu.

De repente, eu soube por que Mary Kay queria ir para o colégio comigo de novo e por que Brittany Hauser queria se sentar ao meu lado no almoço.

Eu era uma celebridade.

É sério. Eu estava famosa.

Bem, a pessoa mais famosa na turma da quarta série da Srta. Myers, pelo menos.

— Allie, vamos sentir muito a sua falta... — continuou a Srta. Myers.

— Nem todo mundo — disse Scott Stamphley. Só que não deu para entender direito o que ele havia dito, porque ele falou tossindo. Mas acontece que sei como falar tossindo, porque eu praticamente inventei essa linguagem.

Lancei um olhar repressor para Scott.

— Perdão, Scott — disse a Srta. Myers. — Se precisa se retirar para beber um pouco d'água, sabe qual é o caminho.

— Estou bem, Srta. Myers — disse Scott.

— Que bom — disse ela. — Bem, só gostaria de acrescentar que, mesmo sabendo que Allie vai adorar seu novo colégio, vamos sentir muito, muito a sua falta, e foi por isso que fizemos essa surpresa para ela... certo, turma? Para que se lembre de nós.

— Sim — disseram várias pessoas da minha turma, incluindo Brittany Hauser, que falou ainda mais alto. O que, para dizer a verdade, pareceu ainda mais falso.

Então a Srta. Myers trouxe um cartaz no qual todos da turma haviam escrito uma mensagem para mim, falando sobre o quanto sentiriam minha falta — ou não, como no caso de Scott Stamphley, que escreveu apenas: "Até mais, Fedida Finkle!"

— Uau — falei. Notei que Brittany e Mary Kay tinham apenas assinado seus nomes, o que provou para mim que a turma fizera antes de eu me tornar uma celebridade e antes de elas decidirem que me queriam como amiga de novo. — Obrigada, gente. Isso significa muito para mim.

Porque é uma regra que, mesmo que alguém lhe dê algo que você, na verdade, não queira, ainda assim você deve agradecer.

— E agora vamos comer alguns desses deliciosos bolinhos que sua mãe trouxe — disse a Srta. Myers.

— Deliciosos e artificiais, você quer dizer — ouvi Scott Stamphley sussurrar. Os meninos sentados ao seu redor riram.

— Claro — disse eu à Srta. Myers, fingindo não ter ouvido Scott. — Deixe que eu sirvo, Srta. Myers.

— Obrigada, Allie — disse a Srta. Myers. — Mas tem certeza de que não quer alguma ajuda?

— Ah, eu ajudo! — Brittany Hauser quase quebrou o braço ao levantá-lo no ar tão rápido se oferecendo para ajudar. — Eu ajudo, Srta. Myers. Pode deixar!

— Está tudo bem — disse eu, com um sorriso que esperava ser tão doce quanto os bolinhos. — Estou bem fazendo sozinha.

— OK, Allie — disse a Srta. Myers. — Se tem certeza... — Ela me entregou a caixa branca de bolo da Kroger.

— Ah — falei —, tenho certeza.

Andei vagarosamente pela sala, entregando os bolinhos. Quando cheguei a Mary Kay, ela disse, com uma voz doce e lágrimas brilhando nos olhos:

— Escute, Allie. O que você fez por essa tartaruga... foi tão... tão corajoso.

— Obrigada, Mary Kay — respondi. — Mas não fiz nada que você não tivesse feito.

Sabia que era uma grande mentira. Mary Kay nunca teria salvado Wang Ba. Ela nunca teria tido coragem pra isso.

— Ei — sussurrou Mary Kay —, sei que andamos brigando muito ultimamente. E sinto muito por ter contado a Brittany sobre o seu livro de leis. Não deveria ter feito aquilo. Sinto muito mesmo. Quero que você saiba que sempre será uma das minhas melhores amigas, Allie. Sempre.

Achei aquilo muito interessante, considerando que até ontem Mary Kay não me considerava sua amiga de forma alguma. Então, de repente, eu sou uma ativista famosa, lutando pelos direitos dos animais, e ela me considera sua melhor amiga novamente?

— Nossa, obrigada, Mary Kay — falei, sendo tão falsa quanto ela. Direitos iguais.

— De nada — disse Mary Kay, mordendo um pedação do seu bolinho.

Quando cheguei a Courtney Wilcox, ela disse:

— Aqui, Allie, isto é para você. — E me entregou uma caixinha. Tive de largar os bolinhos para poder abrir a caixa, que continha um cordão com um coração partido ao meio. — Se cada uma de nós usar a metade do coração partido, isso mostra que somos amigas, mesmo que não estejamos juntas. Minha mãe comprou no shopping. Achei que você ia gostar.

Eu gostei. O que mais gostei foi que a mãe de Courtney devia ter comprado aquilo antes de saber que eu era uma famosa ativista lutando pelos direitos dos animais. Porque eu só havia me tornado uma esta manhã.

Courtney Wilcox, diferente de Mary Kay, estava sendo totalmente sincera.

— Adorei — falei. Coloquei o colar e depois peguei a caixa da Kroger. — Pegue um bolinho.

— Obrigada — disse Courtney e pegou um.

Então me virei para Brittany. Eu a havia deixado por último.

— Bolinho? — perguntei.

— Hum, parecem deliciosos — disse Brittany, alcançando o último.

— Deixe que eu pego — falei.

Peguei o bolinho de Brittany e fingi que ia entregá-lo a ela.

Mas, em vez disso, amassei o bolinho na sua cara. E depois esmigalhei bem, para completar.

— Guerra de comida! — gritou Scott Stamphley.

E em seguida todos os alunos do quarto ano da Srta. Myers que ainda tinham um pouco do bolinho estavam atirando o que houvesse em suas mãos. Por algum tipo de acordo não mencionado, as garotas estavam jogando os bolinhos em Scott Stamphley e os garotos, em Brittany Hauser e Mary Kay Shiner... Acho que principalmente porque foi Brittany quem começou a gritar: "No meu cabelo não", bem quando pedaços de bolinho começaram a voar (e também, é claro, porque ela não tinha nenhum bolinho para jogar de volta). E Mary Kay, é óbvio, foi a primeira a começar a chorar. Isso fez das duas alvos irresistíveis.

Pelo menos para mim.

Portanto, na verdade, os meus últimos cinco minutos na Walnut Knolls Elementary foram os cinco melhores minutos que já tive na escola.

Mesmo que eu tenha acabado o dia na sala da diretora.

O outro problema foi que tive de me sentar ao lado de Scott Stamphley enquanto esperávamos nossos pais virem nos buscar.

E ele ficou cantando uma música sobre diarreia, que, aliás, eu conhecia desde o segundo ano.

Até que não pude mais suportar.

— Conheço essa música desde o jardim-de-infância — disse a ele. Estava exagerando, mas só de leve.

— É? — Scott Stamphley parou de cantar. — Bem, então por que não canta comigo?

— Porque é idiota — falei.

— Como a sua cara? — perguntou Scott.

Não podia acreditar que estava presa na sala da diretora no meu último dia na escola. Com Scott Stamphley. Sabia que nada de mal ia acontecer comigo, já que a Sra. Grant, nossa diretora, é sempre muito compreensiva... ao contrário do que minha nova diretora, a Sra. Jenkins, parecia ser.

Ainda assim.

— Como tudo em você — falei. — Só que elevado ao infinito. — Eu realmente pensava assim.

— É — disse Scott. — Cara, você realmente ferrou a Mary Kay Shiner com aquele último pedaço de glacê.

Não pude evitar um sorriso ao ouvir esse elogio inesperado. Na verdade, não podia acreditar que ele havia percebido.

— Foi mesmo, não foi? — perguntei.

— Ela gritou — disse Scott — como uma menininha. Você viu quando acertei a cabeça de Brittany Hauser com todos os granulados que restaram na caixa?

— Ela vai encontrar granulados no cabelo por semanas — disse eu, satisfeita.

— *Oooooh, meu cabelo!* — Scott deu gritinho agudo, em uma imitação perfeita de Brittany.

— Ei, isso é bom — falei. — Você deveria participar do show de talentos no final do ano.

— Fala sério — disse Scott, com modéstia.

— Não — comentei. — É sério. Nada a deixaria mais irritada.

— Você acha?

— Aposto que ela até choraria.

— Sabe, Allie Finkle — disse Scott Stamphley —, você até que é legal de vez em quando.

Essa era uma observação tão impressionante vinda de um garoto como Scott que por um momento fiquei surpresa e sem palavras. O que acabara de acontecer? Scott Stamphley havia dito algo *legal* para mim?

Antes que eu pudesse responder alguma coisa, entretanto, minha mãe apareceu, parecendo furiosa. Logo atrás dela estava a mãe de Scott, que também não parecia muito feliz.

— Allie Finkle — foi dizendo mamãe. — O que é isso que ouvi sobre você? O que é isso no seu *cabelo*, mocinha? Isso é... BOLINHO? Os bolinhos que eu COMPREI para você? Você fez uma GUERRA DE COMIDA? Você tem 9 anos ou 5? A Srta. Myers não poderia estar mais desapontada com você... Chega. CHEGA. Quando chegarmos em casa... Se você pensa que vai ganhar um gatinho agora...

Preciso admitir que ouvir que a Srta. Myers estava desapontada comigo, para não mencionar a parte sobre não ganhar mais um gatinho, fez meus olhos se encherem de lágrimas. Provavelmente teria começado a chorar também, se não tivesse lembrado que Scott Stamphley estava bem ali, me olhando. E tem mais: esfregar aquele glacê no cabelo de Mary Kay tinha sido incrível.

Olhei para Scott. A mãe dele estava dizendo um monte das mesmas coisas que a minha mãe havia dito para mim, mas sem a parte do gatinho, obviamente. E ela não o chamou de "mocinha".

Percebi que, apesar disso, ele também não estava chorando. Na verdade, estava tirando pedaços de bolinho da camisa calmamente. E comendo.

Aquela, percebi enquanto minha mãe me arrastava para o nosso carro, seria a minha última imagem da Walnut Knolls Elementary:

Scott Stamphley comendo pedaços do meu bolinho de despedida que estavam em sua camisa.

Adeus, Srta Myers. Sinto muito por desapontá-la.

Adeus, turma do quarto ano. Esqueci o meu pôster com todas as mensagens.

Adeus, Brittany Hauser. Acho que não odeio você de verdade. Mas também não gosto muito de você.

Adeus, Courtney Wilcox. Lamento por não podermos ser melhores amigas por mais tempo. Realmente gostei do colar que sua mãe comprou para mim no shopping.

Adeus, moça do lanche. Obrigada pelo leite achocolatado, mesmo que eu não tenha pago por ele.

Adeus, cavalo Buck. Espero que tenha gostado das barrinhas de fruta.

Adeus, Mary Kay. Você nunca foi uma boa melhor amiga porque chorava muito e nunca me deixava ser a leoa, então eu sempre ficava com queimaduras por causa do carpete. Ainda assim, realmente sinto muito por ter enfiado a espátula na sua garganta.

Adeus, Scott Stamphley.

Adeus para sempre.

Até mais.

Lei nº 15

Não julgue uma casa por sua aparência antes da reforma

Ainda estava fingindo estar animada com a mudança — mesmo que realmente não estivesse, em especial agora que certamente não ia mais ganhar um gatinho — quando Mamãe e Papai nos levaram até a casa nova para mostrar a surpresa.

A grande surpresa era o quarto de cada um. Sem que soubéssemos, Mamãe havia tirado algumas folgas no trabalho para reformá-los enquanto estávamos no colégio, e finalmente estavam prontos. Mamãe queria nos mostrar como estavam legais antes da mudança, pois assim também poderia trocar alguma coisa caso não gostássemos.

Não que isso importasse, já que teríamos de nos mudar para lá gostando ou não dos quartos.

Então, no carro, fingi estar feliz em ir ver a casa nova.

Mas por dentro não estava tão feliz. Por dentro, estava pensando em fugir. Porque não era justo. Quero dizer, para começar, eu nunca quis me mudar, ou mudar de colégio ou jogar minha coleção de pedras fora. E agora a *única* coisa — bem, além de ir para o colégio com Erica, Sophie e Caroline e talvez ter a Sra. Hunter como minha professora — que me animava — Miauzinha — me fora tomada.

Isso simplesmente era errado. Muito errado.

Parecia que seria totalmente perfeito para Mamãe e Papai se eu fugisse. Especialmente levando-se em conta que agora eu era uma ativista famosa em defesa dos direitos dos animais — o que acabou sendo uma grande surpresa para os meus pais, mas que mesmo assim não os impediu de me privar do gatinho — e tal. Se eu simplesmente pegasse a minha mochila de dormir fora — porque todo o resto das minhas roupas estava dentro de caixas; eu só tinha algumas coisas, como a minha escova de dentes, uma muda de roupas, minha boneca Anno (que é a boneca de pano com a qual eu durmo desde os 3 anos e que está toda suja e com uma perna estragada no lugar onde Marvin mordeu quando era um filhote, mas que Mamãe costurou de volta) e meu livro de leis dentro da mochila — e fosse embora, provavelmente poderia chegar ao apartamento de tio Jay. É um longo caminho da universidade até a nossa casa antiga, mas fica a apenas algumas quadras da casa nova, na verdade.

E então eu poderia simplesmente morar com o tio Jay e Wang Ba e ter um gatinho, e ninguém poderia me dizer que eu não podia. Tio Jay nunca me diria não. Ele nem sequer notaria um gatinho mínimo em seu apartamento tão bagunçado.

Mas nunca consegui fugir, pois acho que acabei adormecendo em vez de arrumar minha mochila, e quando acordei, precisávamos nos arrumar para ver a casa nova.

Ainda assim. Estava pensando sobre isso. Não pense que não estava.

Sabia que não ia gostar do meu quarto, não importava o que Mamãe e Papai tivessem feito. Como eu poderia gostar? Não é possível transformar um quarto escuro e frio em um quarto aconchegante e iluminado, não importa quanta tinta se jogue nele.

Mas eu tinha prometido ao tio Jay que ia fingir.

Então fingi estar animada durante todo o caminho dentro do carro. Fingi estar animada por todo o caminho até os degraus diante da casa. Fingi estar animada enquanto Mamãe abria a porta.

E então cruzei a porta.

Tenho de admitir: fiquei surpresa com o que Mamãe e Papai haviam feito no lugar em apenas algumas semanas. Enquanto estava ocupada na escola sendo torturada por Brittany Hauser e Mary Kay, Mamãe — com a ajuda do Papai — tinha estado ocupada pintando, limpando os candelabros, trocando as lâmpadas e escovando o piso, deixando-o todo brilhante e bonito.

Ah, ela ainda não havia feito *tudo*. As passagens na parte de trás da casa continuavam sombrias e assustadoras. E o quintal ainda era praticamente só sujeira e alguma grama crescendo desordenada aqui e ali. E o fogão, a geladeira e a máquina de lavar louça novos ainda não tinham chegado, de modo que na cozinha só havia espaços vazios onde essas coisas ficariam.

Mas todas as aranhas tinham sumido.

Até chegarmos lá em cima, no terceiro andar, onde ficavam os quartos das crianças, e então eu vi que todas as aranhas estavam no quarto do Mark. Só que, felizmente, não estavam vivas. Estavam todas no papel de parede.

E também não eram desenhos de criancinha, mas desenhos profissionais de aranhas, e de insetos também; com seus nomes científicos em latim escritos ao lado de cada um.

É claro que Mark pirou de tão empolgado que ficou. Não me pergunte por que alguém iria querer morar em um quarto com desenhos de aranhas, besouros, abelhas, moscas, vespas e formigas por todas as paredes. Aparentemente, meu irmão queria.

E Kevin ficou só um pouco menos feliz do que Mark com o seu quarto, que tinha papel de parede de pirata — figuras de navios piratas e bandeiras com caveiras. Mas o papel de parede não era de veludo. Porque não existe papel de parede de veludo com piratas... Mamãe não conseguiu encontrar nenhum, pelo menos.

No entanto, ela lhe deu cortinas azuis de veludo. Então ele ficou feliz com isso de qualquer forma.

Não esperava muito quando empurrei a porta do meu quarto. Mas estava preparando um sorriso feliz para estampar na cara de qualquer forma. Imaginei que, quando todas as minhas coisas estivessem no quarto, eu começaria a gostar dele. Depois de um tempo. Tipo, em uns 12 anos.

Nunca imaginei que veria o que vi quando abri a porta.

E o que vi foi um quarto ainda mais bonito do que era o meu na antiga casa.

Não sei como Mamãe e Papai fizeram aquilo, mas eles conseguiram. Misturando um papel de parede cor de creme com pequenas flores azuis e um carpete azul combinando — para não falar das cortinas brancas de renda e do assento da janela que Mamãe tinha prometido que Papai faria para mim —, eles haviam transformado o quarto que eu achava o pior de toda a casa no quarto mais legal que eu já havia visto.

Simplesmente fiquei parada na porta, olhando para ele, sentindo o cheiro da tinta fresca, quase não acreditando no que estava vendo, enquanto Mark e Kevin, atrás de mim, diziam: "Uau, isso é chique" e "Viu, Allie? Eu disse a você."

— Bem, Allie? O que acha? — perguntou Mamãe, parecendo muito orgulhosa de si mesma.

Estava em tamanho choque que nem mesmo me lembrei de fingir sorrir.

— *Eu amei!* — falei.

Porque amei mesmo.

— Ah, fico feliz — disse Mamãe. — E o que você acha do assento de janela que o Papai fez pra você?

— Bem — disse Papai —, foi a Home Depot que fez, na verdade.

— Amei também — falei, correndo até o assento e saltando no estofado. Sentada ali, eu podia ver a rua lá embaixo. As folhas nas árvores estavam mudando, e tudo que eu podia ver mais abaixo era um caleidoscópio de cores, laranja, amarelo, vermelho e marrom, como uma colcha de retalhos estendida sob os meus olhos. Era como se eu pudesse pular da janela e cair ali, um trampolim de cores. Era a coisa mais linda que já havia visto. Quase tão linda quanto o meu quarto. Poderia ficar sentada ali, olhando lá para fora, por horas. E daí que eu não podia mais ver a torre de eletricidade do meu quarto?

— Bom — disse Mamãe. — Estamos felizes por você se sentir assim. Mas ainda não acabamos de mostrar as coisas. Venha até aqui.

Saí do assento da janela e voltei para o corredor.

Foi quando Papai puxou a corda da porta do sótão no teto.

— Papai! — gritei. — Não faça isso!

Mas já era tarde. Papai estava puxando para baixo a escada dobrável do sótão. As molas presas nela faziam ruídos sibilantes.

— Venha, Allie — disse ele. — Vou lhe mostrar que não há o que temer. Nós todos vamos subir.

— Irado — disse Mark e começou a subir a escada atrás de Papai.

— Ah, não, você não — falei, segurando o cós das calças de Mark. — Papai, o que você está tentando fazer, nos matar?

A cabeça e os ombros de Papai já haviam sumido no sótão.

— Está tudo bem, Allie — disse ele lá de cima. — Não há nada aqui, com exceção de algumas caixas de coisas velhas. Venha, suba aqui que vou lhe mostrar.

— Me largue, Allie — disse Mark, tentando se soltar. — Quero ir lá em cima com o Papai.

— Mark — disse eu. — Pare com isso! Estou tentando proteger você!

— Allie — disse Mamãe —, deixe-o ir. Você também deveria subir. É a única maneira de provar para si mesma que não há nada lá para temer.

Soltei Mark. Tive de soltar porque ele estava prestes a me dar um chute na cara. Ele se arrastou escada acima.

Suspirei. Sabia que Mamãe estava certa. Mas... e a mão do zumbi?

— Uau! — ouvi Mark gritando do sótão. — Venham aqui. Vocês precisam ver isso. É inacreditável!

Olhei para Kevin.

— *Eu* não vou subir lá — disse ele. — Não quero me sujar.

— Vá, Allie — disse Mamãe. — Já estive lá em cima. Fico aqui com o Kevin.

Suspirando novamente, coloquei meu pé na escada. E comecei a subir. Podia ver a cabeça de meu pai no alto da escada, em frente à cobertura do telhado da casa. Também podia ver alguns raios de sol brilhando, vindos de algum lugar. O sótão não parecia, devo admitir, tão assustador.

E quando cheguei ao fim da escada e olhei ao redor, vi que não era nem um pouco assustador (exceto por estar-no-topo-da-escada). Era só um quarto comprido, com um teto realmente inclinado e baixo. E estava praticamente vazio, exceto por algumas caixas. E meu pai e Mark estavam encurvados sobre elas, abrindo-as e virando-as para baixo para revelar que o que estava dentro delas era...

— Cartões de Natal! — falou Mark com nojo.

Não acreditei nele, a princípio. Mas depois fui olhar e vi que era mesmo verdade. Cada uma das caixas estava cheia de cartões de Natal. Dúzias e dúzias e dúzias deles. Talvez centenas.

Cartões usados. Com coisas escritas. Alguns deles tinham até fotos. E eram realmente antigos. Tinham tipo uns vinte anos!

— Bem — disse Papai —, não é a mão de um zumbi, admito. Mas esta foto aqui é bem assustadora. — E ele segurou um cartão de Natal que tinha a fotografia de uma família com algumas pessoas feias com cabelos bem desarrumados durante as férias na Disney World.

— Peguem essas caixas e levem para a caçamba de lixo lá embaixo enquanto ainda a temos — gritou Mamãe na direção da escada.

— Vamos lá — disse Papai. — Cada um de vocês me entregue uma caixa.

E foi assim que limpamos o sótão e o deixamos pronto para colocarmos nossas próprias tralhas lá dentro. Estava jogando uma caixa com cartões de Natal antigos na lixeira da nossa garagem quando ouvi uma voz chamando o meu nome; me virei e vi Erica no jardim da frente de sua casa, acenando para mim.

— Oi, Allie — chamou Erica, sorrindo. — Você está se mudando hoje?

— Hoje não — falei, correndo para encontrá-la na cerca viva que separava nossos jardins. Vi que Missy também estava do lado de fora, praticando com seus bastões, e aquele irmão mais velho de Erica, John, também estava lá, varrendo as folhas. — Vamos nos mudar amanhã.

— Que bom — disse Erica, sorrindo ainda mais. — Mal posso esperar! Sophie e Caroline mandaram um "oi". Nós ficamos muito felizes quando a Sra. Hunter disse que você ficaria na nossa turma!

— Espere aí — interrompi. — Ela *disse*? *Vou* ficar?

— Você não sabia disso? — Erica começou a pular para cima e para baixo. Também estava aos gritos, como parecia fazer sempre que ficava animada com alguma coisa.

— NÃO — gritei de volta, pulando para cima e para baixo também. — Aposto que meus pais iam me contar mais tarde, como parte da surpresa!

— Que surpresa? — quis saber Erica.

— Meu quarto era a surpresa — respondi. — Você quer ver? Eles ajeitaram tudo e ficou muito legal!

— Claro — disse Erica. — Só vou lá dentro avisar a minha mãe aonde estou indo, assim não acontece o mesmo desastre que provocamos da última vez.

Erica virou-se e correu para dentro de casa. Vi Missy jogar seu bastão bem alto no ar, depois ela deu um giro e o pegou antes que ele chegasse ao chão. Enquanto isso, John continuava varrendo e disse:

— Então, Allie. Como estão as coisas?

— Bem — respondi, um pouco desconfiada. Isso porque estava me perguntando se ele falaria novamente sobre a coisa do sótão.

E, é claro, ele falou.

— Então — disse John. — Ouviu algo estranho vindo do... você sabe de onde, não sabe? — E apontou para o topo do telhado da minha casa, atrás de mim.

— Se você quer saber se ouvi algum barulho estranho vindo do sótão — falei em voz alta —, não, não ouvi. Porque não há nada lá, a não ser algumas caixas velhas com cartões de Natal, que, aliás, nem estão mais lá porque arrumamos tudo.

— Bem, isso é tudo que você pode ver durante o dia — começou John. — Mas à noite, quando todos estavam dormindo, ouvi alguns barulhos bem estranhos vindos daquele sótão. Como se alguém estivesse tentando sair...

— Pare de me provocar — falei com a minha voz mais malvada. — Tenho 9 anos, você sabe, não sou um bebê. Sei que não existem coisas como fantasmas, para não dizer mãos de zumbis. Você devia ter vergonha, um garoto da sua idade tentando assustar menininhas. O que acha que sua mãe diria se soubesse o que você está fazendo?

John piscou algumas vezes e depois disse:

— Você não vai contar a ela, vai?

— Não sei — falei, cruzando os braços. — Talvez conte.

Neste exato momento, Erica saiu em disparada da casa e correu até onde eu estava parada.

— Minha mãe disse que tudo bem — anunciou ela, pulando por cima da cerca viva. — Vamos lá!

— Que bom — disse eu. — Venha!

Começamos a correr para a porta da frente da minha casa, mas aí, no último minuto, me lembrei de algo e disse:

— Espere um minuto, Erica. Esqueci uma coisa.

Corri de volta até a cerca viva e falei:

— John?

John desviou o olhar da vassoura e perguntou:

— O quê?

Arrotei o mais alto que pude.

— Só isso — completei.

Então corri de volta para pegar a mão de Erica e puxei-a para dentro.

LEI nº 16

Não seja arrogante

O caminhão de mudança chegou realmente cedo no dia seguinte. Tão cedo que Mamãe e Papai ainda nem tinham se levantado da cama, de modo que tivemos tantos palavrões que ganhamos mais cinco dólares para levar Marvin ao salão de beleza do pet shop.

Portanto, acordei com o barulho dos homens da mudança tocando a buzina e Mamãe e Papai xingando. Pulei para fora da cama e me vesti bem rápido. Porque sabia que havia muito a fazer.

Mark estava muito impressionado com o caminhão de mudança, que ele disse ser um caminhão de 18 rodas. Kevin observou que os homens da mudança usavam cintos especiais. Papai explicou que isso servia para que eles não ficassem com hérnia por levantarem coisas pesadas. Perguntamos o que é uma hérnia, e Papai disse que é quando seu estômago explode. Kevin disse que gostaria de ver isso e concordei

Então sentamos nos degraus por um minuto, torcendo para ver o estômago de um dos homens da mudança explodir. Foi quando Mamãe teve a ideia de nos mandar passar o resto do dia com o tio Jay em seu apartamento, onde estaríamos Fora do Caminho.

— Nada de comer besteira no almoço, por favor — disse Mamãe para o tio Jay quando ele chegou para nos buscar, entregando-lhe uma nota de vinte dólares. — Algo mais ou menos saudável, como pizza ou *grissinis*.

— É claro — disse tio Jay, deslizando a nota de vinte dólares para dentro do bolso. — Já entendı

Assim que chegamos à casa do tio Jay, ele perguntou:

— Quem quer Hot Pocket?

Todos queríamos, é claro. Sempre gostamos de ficar no tio Jay porque ele nos deixa beber uma lata inteira de Coca-Cola — cada um — em vez de nos fazer dividir uma em três copos. Ele também tem uma televisão que é tão grande quanto a minha cama. Não tem mais muita coisa em seu apartamento, a não ser o sofá tipo futon. Mas a televisão compensa tudo. Quando assistimos desenho nela, é como se estivéssemos realmente lá, debaixo do oceano *com* o Bob Esponja.

A primeira coisa que fiz quando cheguei à casa de tio Jay foi dar uma olhada em Wang Ba. A tartaruga estava morando dentro da banheira do companheiro de quarto de tio Jay (só que tio Jay não tem mais um companheiro de quarto porque diz que companheiros de quarto reprimem sua criatividade). Tio Jay deixou tudo bonito dentro da banheira para Wang Ba, com pedras para ele subi , algumas plantas e bastante água para nadar. Era como se a banheira fosse o lago particular de Wang Ba.

É difícil dizer se uma tartaruga é feliz ou não. Mas preciso dizer que Wang Ba parecia muito feliz. Para uma tartaruga, quero dizer. Primeiramente, ele não cheirava tão mal quanto antes.

— Por que está tão aborrecida, companheira? — perguntou tio Jay, inclinando-se na porta com um prato com o Hot Pocket de queijo e presunto em uma das mãos e uma lata cheia de Coca-Cola na outra.

— Ah... — falei. Acho que eu aparentava estar triste. — Eu me encrenquei na escola na sexta-feira porque comecei uma guerra de bolinhos.

— Sensacional — disse tio Jay.

— Não é sensacional — expliquei, comendo meu sanduíche e tomando minha Coca. — Agora Mamãe diz que não posso ter um gatinho.

— É claro que seus pais não sabem da sua condição pública de ativista em defesa dos direitos dos animais — disse tio Jay. — De qualquer forma, Allie, tenho certeza de que se você ficar na sua por alguns dias e tentar ajudar com a casa e essas coisas, sua mãe vai voltar atrás. Ela sempre volta.

— Não sei — falei. — Ela estava bastante zangada.

— Bem — disse tio Jay. — Sei que ele não é um gatinho. Mas você sempre terá Wang Ba.

Olhei para a tartaruga do Lung Chung. E me lembrei de como eu havia pensado em fugir para morar com o tio Jay naquela noite. Estar aqui durante o dia me fez percebe que, de certa forma, estava feliz por não ter fugido. Amo o tio Jay e tudo.

Mas os Hot Pockets que ele fazia ficavam meio frios no meio.

Depois de quatro horas de Cartoon Network e mais umas três horas de videogame, Mamãe e Papai finalmente ligaram para dizer que os homens da mudança tinham ido embora e que o tio Jay podia nos levar para a casa nova. Então entramos no carro e ele nos levou até lá.

Estava escuro na hora em que entramos na garagem. Mas, pela primeira vez desde sempre, as luzes estavam acesas nas janelas da casa nova.

E preciso admitir: nem de longe a casa parecia assustadora como antes.

Na verdade, parecia meio... bem, acolhedora.

E, tudo bem, Mamãe e Papai não tinham tido tempo de pôr cortinas em lugar algum, a não ser nos nossos quartos.

E lá dentro praticamente nenhuma das caixas havia sido aberta e quase nenhum dos móveis estava onde deveria estar, porque os homens da mudança meio que só largaram tudo lá e foram embora.

Mas com as nossas coisas lá dentro, a nova casa parecia... bem, parecia um lar.

E lá em cima no meu novo quarto, Papai havia colocado a minha cama de dossel, minhas prateleiras estavam nas paredes, minhas roupas estavam no meu armário e meus livros estavam onde deveriam estar.

E com a lâmpada do abajur acesa ao lado da minha cama e minha cortina de renda bloqueando a escuridão, ainda parecia o quarto mais legal do mundo todo.

E depois que escondi meu livro de leis onde ele deveria ficar (debaixo das ripas de madeira sob a cama), percebi que *era* de fato o quarto mais legal do mundo todo.

E, tudo bem, o banheiro do outro lado do corredor ainda precisava de alguns reparos — os azulejos do chão eram superfrios e, de tanto tempo sem ninguém usar, a água que saía da pia era marrom no começo.

E, sim, o alçapão que dava no sótão ainda parecia assustador lá em cima, com aquela corda pendurada balançando.

Mas a nova casa, eu começava a perceber, não era tão ruim. Principalmente quando, enquanto estava me arrumando para me deitar, ouvi Mark e Kevin falando pela grade do sistema de aquecimento que ficava entre seus quartos: "Houston, aqui é o ônibus espacial. Está me ouvindo, Houston? Câmbio."

"Ônibus espacial, aqui é Houston. Estamos ouvindo. Câmbio."

— Então, querida — disse Mamãe entrando no meu quarto para me ver enquanto eu entrava debaixo das cobertas. — Está tudo bem?

— Tudo bem, Mamãe — respondi. E não estava falando apenas do quarto. Embora ela estivesse.

— Mesmo? — perguntou ela. — Você pode me dizer se algo estiver errado, você sabe, Allie. Não vou ficar chateada.

— Não tem nada errado — falei. E estava meio surpresa em descobrir que o tio Jay estava certo. Eu não estava mais fingindo. Tudo *estava* realmente bem. Quero dizer, tinha a escola para enfrentar na próxima semana... minha primeira semana como a garota nova, em uma turma nova, com um monte de gente nova para conhecer.

Mas pensaria nisso depois. Neste momento, estava tudo bem.

Bem, quase tudo.

— É bom saber disso — disse Mamãe, me ajeitando. — Queria lhe dizer uma coisa, mas no meio de toda a confusão do dia da mudança, esqueci. Recebi um telefonema da mãe de Brittany Hauser.

Xiiii. As substâncias artificiais dos bolinhos da Kroger que eu tinha amassado na cara de Brittany haviam causado algum dano permanente?

— Não se preocupe — disse Mamãe. — Não foi por causa da guerra de bolinhos. Foi por causa de Lady Serena Archibald.

Ah, não! Não sei por que, mas pensei que as notícias só podiam ser ruins. Mordi o lábio inferior. Algo de ruim havia acontecido. Algo de ruim relacionado a ter deixado Lady Serena fugir.

— O que houve? — perguntei, temendo a resposta de Mamãe.

— Bem — disse Mamãe. Ela parecia estar com dificuldades em segurar o riso. — Parece que, quando você deixou Lady Serena Archibald fugir... — *Eu sabia!* — ...ela conheceu um gato, um rapazinho. E agora ela vai ter gatinhos!

Engasguei. Espera... essa notícia era *boa*!

— *Vai*?

— Sim. E, já que eles não sabem quem é o pai, as chances de os gatinhos serem persas puros são mínimas. Assim, a Sra. Hauser vai doar os filhotes de Lady Serena Archibald. E ela quis que eu garantisse que *você* seria a dona do primeiro da ninhada quando os gatinhos nascerem, daqui a algumas semanas.

Fiquei tão animada que pulei para fora das cobertas. Aí me lembrei do que Mamãe havia dito na sexta-feira na sala da diretora.

— Mas espere — falei. — Você me disse que eu não posso mais ter um gatinho.

— Bem — disse Mamãe —, seu pai e eu conversamos sobre isso. E como você foi muito positiva em relação à mudança... *na maior parte do tempo*, mudamos de ideia. Você pode ter um gatinho.

Gritei tão alto que Mamãe colocou as mãos sobre os ouvidos.

— Você quer dizer que vou ter um dos filhotes de Lady Serena Archibald?

— Se continuar gritando assim, não — disse Mamãe, abaixando as mãos. — Mas, sim, acho que você vai. Será a primeira a escolher.

Joguei meus braços em volta do pescoço de Mamãe e dei um grande abraço nela. Eu estava tão feliz que estava quase chorando. Não podia acreditar. Ia ganhar um gatinho afinal de contas! E não um gatinho qualquer, mas um gatinho da mamãe gata mais bonita de todos os tempos: Lady Serena Archibald.

Miauzinha ia ser a melhor gata de todas.

— Certo — disse Mamãe, rindo enquanto eu continuava abraçada a ela. — Vá dormir agora. Se conseguir. Temos muita coisa para desempacotar amanhã.

Aconcheguei-me debaixo das cobertas.

— Mal posso esperar para contar a Erica — disse eu, sonolenta. — Vou correr até lá assim que acordar.

— Depois do café-da-manhã — disse Mamãe.

— Certo — concordei. — Mas logo depois disso...

— Mas não fique se gabando — disse Mamãe. — Porque ninguém gosta de gente arrogante.

— O que é arrogante? — perguntei.

— Alguém que fica se gabando demais — disse Mamãe.

— Como Brittany Hauser? Ela sempre ficava falando sobre como, no seu aniversário de 10 anos, sua mãe vai alugar uma limusine e levar todas as garotas da turma para uma loja onde você monta seu ursinho de pelúcia, depois para o Pizza Hut para comer pizzas individuais e em seguida de limusine de volta para casa.

Brittany também havia assinalado que eu não seria convidada para nada disso.

— Exatamente assim — disse Mamãe. — Esse é um bom exemplo de um arrogante. Não seja assim. — Ela desligou o abajur. — Agora durma, Allie.

Mas assim que não ouvi mais o rangido dos passos — o que significava que Mamãe estava lá embaixo, e essa era outra coisa boa da casa nova, eu estava descobrindo: você sempre sabia quando seu pai ou sua mãe estava subindo ou descendo as escadas — liguei o abajur novamente e peguei meu caderno embaixo da cama.

Então anotei *Ninguém gosta de um arrogante* no meu livro de leis.

Era a primeira lei para a nova casa.

Eu tinha a impressão de que ia aprender um monte de regras boas nesta casa.

Depois fechei meu caderno, escondi-o sob a cama, voltei para debaixo das cobertas, apaguei a luz e fechei os olhos.

Porque Mamãe estava certa. Eu tinha *muito* a fazer amanhã.

AS LEIS DE ALLIE FINKLE:

- *Não enfie uma espátula na garganta da sua melhor amiga.*
- *Tudo que sobe, desce.*
- *Não solte balões com gás hélio em lugares abertos.*
- *Trate seus amigos da maneira como gostaria de ser tratado.*
- *Nunca coma nada vermelho.*
- *Sempre use um capacete quando estiver andando de skate, pois se um carro bater em você, seu cérebro vai se rachar e se despedaçar, e crianças como eu vão ficar esperando os carros passarem para poderem atravessar a rua e procurar por pedaços do seu cérebro que a ambulância pode ter esquecido nos arbustos.*
- *Não arrume um bichinho que faça cocô na sua mão.*
- *Não assuste seus irmãos mais novos.*

- *Se não quer que todos saibam seu segredo, não o conte a Scott Stamphley.*
- *Só diga coisas legais para seus amigos, mesmo que não sejam verdadeiras.*
- *Irmãos — e pais — podem ser muito insensíveis.*
- *Não devemos odiar as pessoas, especialmente os adultos.*
- *Se não doer, não vale.*
- *Não deixe sua família se mudar para uma casa mal-assombrada.*
- *Se alguém está gritando de felicidade, a coisa mais educada a fazer é gritar também.*
- *Se sabe o que é bom para você, apenas faça o que Brittany Hauser disser.*
- *Nunca seja o receptor quando Brittany Hauser for arremessar.*
- *A primeira impressão é muito importante.*
- *Alcaçuz é nojento.*
- *Nunca é possível causar uma segunda primeira impressão.*
- *Não é educado corrigir um adulto.*
- *Não coloque seu gato numa mala.*
- *Ouça educadamente quando um adulto está falando, mesmo que seja algo que você já sabe.*
- *Não deixe seus convidados morrerem de fome.*
- *Quando fizer algo errado, sempre peça desculpas (mesmo que a culpa não seja totalmente sua).*
- *Se conseguir uma nova melhor amiga, é grosseria se vangloriar por isso.*
- *Agradeça quando alguém fizer um elogio a você, mesmo que não esteja certa se é mesmo um elogio.*

- *Finja que não está ligando quando alguém magoar você — e não chore. Assim, você vence.*
- *Às vezes (mas nem sempre) é melhor apenas guardar as coisas para si.*
- *Quando você finalmente descobre qual é a coisa certa a fazer, precisa fazê-la, mesmo que não queira.*
- *Quando você estiver libertando uma tartaruga e as pessoas estiverem perseguindo você, a melhor coisa a fazer é se esconder.*
- *Não pode levar suas pedras com você.*
- *As celebridades vivem sob leis diferentes das nossas.*
- *Quando alguém lhe dá algo que você na verdade não quer, ainda assim você deve agradecer se a pessoa tiver boa intenção.*
- *Não julgue uma casa por sua aparência antes da reforma.*
- *Não seja arrogante.*

Este livro foi composto na tipologia Classical
Garamond, em corpo 11/16, e impresso em
papel off-white no Sistema Cameron da
Divisão Gráfica da Distribuidora Record.